금빛 인생

금빛 인생

발행일   2025년 5월 27일

엮은이   이주옥
펴낸이   손형국
펴낸곳   (주)북랩
편집인   선일영   편집   김현아, 배진용, 김다빈, 김부경
디자인   이현수, 김민하, 임진형, 안유경, 최성경   제작   박기성, 구성우, 이창영, 배상진
마케팅   김회란, 박진관
출판등록   2004. 12. 1(제2012-000051호)
주소   서울특별시 금천구 가산디지털 1로 168, 우림라이온스밸리 B동 B111호, B113~115호
홈페이지   www.book.co.kr
전화번호   (02)2026-5777   팩스   (02)3159-9637

ISBN   979-11-7224-648-8 03810 (종이책)   979-11-7224-649-5 05810 (전자책)

(주)북랩 성공출판의 파트너

북랩 홈페이지와 패밀리 사이트에서 다양한 출판 솔루션을 만나 보세요!

홈페이지 book.co.kr   •   **블로그** blog.naver.com/essaybook   •   **출판문의** text@book.co.kr

작가 연락처 문의 ▶ ask.book.co.kr

작가 연락처는 개인정보이므로 북랩에서 알려드릴 수 없습니다.

대구신광교회 금빛학교

금빛인생

이주옥 엮음

 북랩

목차

제1장 금빛학교

제2장 금빛학교 플러스

제3장 금빛학교를 둘러싼 일상

제4장 금빛학교의 원동력, 신앙

'금빛 인생'을 발간하며

금빛학교는 3년(6학기) 과정으로, 올해 2025년 봄 학기가 전체 교육과정을 마무리 짓는 종착점이기에 이를 기념하며 또한 대구신광교회 금빛학교 학생들이 하나님과 동행하며 믿음으로 살아온 삶을 기념하기 위해 '금빛 인생'이라는 제목으로 첫 문집을 발간하게 되었습니다.

이 문집은 학생들이 금빛학교에서 경험한 추억과 하나님의 은혜를 담아, 후손들에게 믿음의 유산을 남기고자 하는 금빛학교의 소망을 담고 있습니다. 그동안 학생들은 단계별 성경교육, 다양한 특강, 깊이 있는 영적 교제를 통해 하나님의 나라를 소망하며 천국을 향한 삶을 준비해 왔습니다.

그렇기에 본 문집은 글쓰기 능력인 '필력(筆力)'보다 더 큰 힘을 보여줍니다. 비록 학생들의 글쓰기 경험이 다소 부족할지라도 진솔한 마음으로 작성한 이들의 글들에는 애력(愛力) 사랑의 힘, 봉력(奉力) 봉사와 섬김의 힘, 겸력(謙力) 겸손의 능력이 더 많이 드러나 보임을 알 수 있습니다. 이는 금빛학교 학생들이 오랜 동안 하나님과 동행하며 믿음과 사랑으로 살아온 삶을 반영하기 때문입니다.

이 문집이 독자들에게 따뜻한 감동과 하나님의 사랑을 되새기는 계기가 되었으면 합니다. 금빛학교 학생들은 주님이 부르시는 그날까지 천국 향한 소망을 품고, 날마다 하나님과 동행하는 '금빛 찬란한 삶'을 추구합니다. 이 여정에 독자 여러분도 함께하시지 않으렵니까?

아울러 문집 발간에 참여한 어르신 학생들과 편집 및 출판을 위해 수고한 교사들에게 깊은 감사의 마음을 전합니다.

2025년 5월

금빛학교 교장 전광민 목사

금빛학교,
천국을 준비하는 배움의 여정

기독교인들은 '당하는 죽음'이 아닌 '맞이하는 죽음'을 갈망합니다. 천사들의 영접을 받으며 지상에서 마지막 발걸음을 떼고 예수 그리스도가 계신 천국으로 첫걸음을 내디딜 수 있다면, 얼마나 아름다운 죽음이겠습니까? 이러한 죽음을 상상하는 것만으로도 큰 기쁨이 될 것입니다.

갑자기 성큼 다가온 과학 문명은 인공지능 시대를 열어 우리의 삶을 변화시켰습니다. 이제는 손가락 몇 번의 터치로 자신의 욕구를 충족할 수 있는 세상이 되었습니다. 특히 오픈 AI와 같은 인공지능 기술을 활용하여 방대한 정보를 신속히 얻을 수 있게 되었지만, 기술을 효과적으로 활용하기에는 세대 간의 격차가 드러나기도 합니다.

특히 65세 이상 인구가 20%를 넘어서는 초고령 사회에서, 이 연령대의 시니어들이 기술의 사각지대에 놓이기가 쉽습니다. 현금 거

래보다 전자 상거래가 일반화되면서, 키오스크를 사용하지 못하면 음식이나 음료를 주문하기조차 어려운 상황이 되어가고 있습니다. 스마트폰 사용에서도 어려움을 겪는 시니어들이 많습니다. 여러 번 설명을 들어도 금방 잊어버리고, 가장 필요한 몇 가지 기능만을 겨우 사용하는 경우가 많다 보니 보이스피싱 등 교묘한 피해를 보기도 쉽습니다.

이처럼 사회적 변화와 함께 시니어 세대는 점점 더 고립되기가 쉬운데, 이를 해결하기 위해서는 특화된 배움의 장이 요구됩니다. 더구나 현대 사회에서 심화되어가는 세속화 경향과 길어진 수명을 고려할 때 젊은 시절의 신앙만 가지고 남은 긴 인생을 살아가기는 결코 쉽지 않은 것이 현실입니다.

금빛학교는 이러한 사회적 요구를 반영하여 설립되어, 시니어 사역의 중요성을 강조하며 교회 차원의 재정 지원을 받아 이들의 신앙 유지와 지속적인 성장을 돕고 있습니다. '직책에서는 은퇴할 수 있지만 사역에서는 은퇴할 수 없다'라는 슬로건 아래 시니어들이 천국을 준비하며 성숙한 영적 어른의 삶을 살아가도록 돕고 있습니다.

또한 금빛학교는 하나님을 믿는 자들이 천국의 순간을 기쁨으로 받아들일 수 있도록 지원합니다. 세상의 힘든 삶을 마감하고 천국으로 가는데 슬퍼해야 할 이유는 없습니다. 기쁨으로 맞이하는 죽음은 훈련이 필요하며, 그동안 살아온 생각의 틀을 바꾸는 지속적인 교육으로 이루어져야 합니다. 금빛학교를 통해 시니어들이 무덤에 들어가 인생을 마치는 자가 아닌, 지상에서 천국으로 연착륙하여 영원한 생명을 누리는 자가 되기를 소망합니다.

2025년 5월

금빛학교 운영위원장 김장억 장로

제1장 금빛학교

금빛학교 가는 길
_ 권성련

오늘은 금빛학교 가는 날
매주 목요일이다
늦을까 걱정된다. 매번 꼴찌를 했기에

맘먹고 일찍 나섰다
별로 빨리 나선 건 역시 아니다
버스를 타러 정류장 향해 빠른 걸음을 옮겼다
도착하자마자 버스가 도착
단걸음에 올라탔다.

한 번의 관문이 더 남아 있다
갈아타야 한다
동대구역 정류장에 내려 안내판을 본다.
524번, 156번, 708번 버스 중
708번이 전전 정류장을 출발했다는 메시지가 뜬다
반가웠다
조금 기다리니 도착
얼른 올라탔다.

농협중앙회에 정시 도착

빠른 걸음으로 교회에 도착하니 1시 30분

정시 도착

꼴찌는 아니다

기뻤다.

아리송한 글쓰기

_ 권성련

오늘은 머리가 휘청하다
아무 생각도 잘 나지 않는다.

간식으로 나온 굵은 감자를 하나 다 먹어서일까
약간 가슴이 답답하다.

글쓰기 선생님의 강의는 재미있는데
막상 글을 쓰라 하니
부담이 돼서일까
아무 생각도 나지 않는다.

다시 한번 생각을 다듬어 보자
내가 왜 이럴까
옆 반의 열띤 나눔이 시끄럽게 방해를 한다.

오늘은 글이 안 된다
다음에 쓸 거야.

믿음의 유언장 _ 김경자

사랑하는 딸!
* 십일조 생활 잘해라
* 남을 이기려고 하지 말고 최선을 다해라
* 재산의 일부는 교회에 헌금할 테니 나머지는 너 다 해라
* 천국에서 만나자

신앙생활

_ 김경자

하나님을 알기에 지금 금빛학교에 와 있다.
얼마나 다행인지

글도 쓰고 은혜도 받고
기쁘고 즐겁기까지 하다
남들 앞에 서면 두렵고 떨리고 울렁증까지 있던 내가
어느새 치료까지 되어 있다.

너무 감사하다
하나님 감사합니다.

금빛학교 어떤 날

_ 김기숙

오늘은 회사에 가는 날이다.

시간이 끝나고 집으로 오는 길에 점심을 먹고 가자고 해서 소머리국밥집으로 갔다. 밥을 먹고 이야기를 나누며 교회에 도착했다. 반가운 선생님의 모습이 보였다.

우리 반 소식이다.

이 집사님은 수술이 잘 끝났다니 다행이다.

김 집사님은 발가락을 다쳐 수술을 하고 조리 중이다.

그만하니 다행이다.

하나님 감사합니다.

금빛학교

_ 김말련

시간이 어떻게 흘러갔는지
알지도 못하고 느끼지도 못하고
그렇게 열심히 앞만 보고 왔는데
어느새 내 머리카락은 은빛이 되어있고
나는 금빛학교 학생이 되었다.

모두가 반갑고 낯익은 얼굴들인데
어쩐지 조금은 어색했던 금빛학교
벌써 6학기, 졸업이 다가온다.

어색했던 그 시간은 잠깐이고
지금은 기다려지는 즐겁고 행복한 시간들이다.

예배시간과는 또 다른 분위기 속의 반가운 만남의 시간
온 마음과 정성을 다해 말씀과 기도와 사랑으로 섬기시는
목사님 장로님 권사님 집사님
그 사랑의 섬김 속에 환하게 밝은 행복한 금빛학교 학생들
이 땅에 작은 천국의 모습을 이룬 것 같다.

하나님의 사랑 안에서 모두가 하나 되어

하늘의 별처럼 빛나는 금빛 열매로 익어가는

이곳 대구신광교회 금빛학교가

바로 우리의 소망인 천국이 아닐까?

금빛학교

_ 김복연

제가 금빛학교에 입학을 잘했다고 생각합니다.

양선반으로 처음 왔어요. 금빛학교에 오기 전엔 건강이 안 좋아 누워 있기가 일상이었는데 학교에서 찬송, 율동, 연극, 글짓기 등 모든 시간을 보내니 마음이 즐거웠어요.

교감 장로님께서도 자상하시고 학생들을 사랑으로 보듬어 주시고 모든 선생님께서도 늙은 학생들을 사랑으로 대해주시니 정말 고맙습니다.

모든 선생님은 현대판 천사뿐인 것 같아요.
저는 매주 목요일만 기다려집니다.
이 모든 것이 주님의 은혜인 줄 압니다.

대구신광교회 금빛학교 파이팅!

금빛학교

_ 김상섭

아! 오늘은 금빛학교 가는 날
참 기쁘고도 복된 날

위임목사님의 만화 그림 성경공부로
하나님의 말씀을 배우니
어찌 즐겁고 감사한 일이 아니겠는가?

운영위원장 장로님이 모든 프로그램을 구성하고 운영하여
모든 금빛학교 학생에게
영적 요단강 건널 수 있는 용기와 힘을 불어 넣어주시니
이 또한 즐겁고 감사한 일이 아니겠는가?

모든 선생님과 여러 전문 특강 강사님께도 할렐루야로
감사와 영광을 돌립니다.

믿음의 유언장

_ 김옥묘

우리는 언젠가 세상을 떠납니다. 한 번 죽는 것은 사람에게 정하신 것이요, 그 후에는 심판이 있다 했습니다. 예수를 믿는 우리들은 천국에 간다고 했습니다. 죽음은 두렵지 않습니다.

돌이켜보면 내가 사는 동안에 아들, 딸들에게 잘한 것이 없습니다. 재산 하나 물려주지 못한 것이 제일 가슴 아픕니다. 그러나 믿음의 유산을 물려주게 됨을 하나님 앞에 감사드립니다.
더욱 감사드립니다.

박 목사!
내가 큰 도움을 주지도 못했는데도 머나먼 나라에 가서 주님의 종 되어 목양의 길을 가게 하심도 하나님의 은혜로 믿고 감사한다. 이 어미가 부탁한다. 정말로 능력 있는 종으로서 목사의 사명을 다하기 바란다.

우리 큰딸 미향아!
이 어미 때문에 고생했지? 동생들을 잘 돌보아주어서 고맙다. 또한 네 딸들을 믿음으로 잘 성장시키고 시집도 잘 갈 수 있도록 잘 키워주어서 고맙다.

선영아!

너는 믿음이 적어 늘 걱정이 된다. 내가 죽으면 너는 모이기를 잘하고, 베드로공동체로서 사명을 다해라. 십일조 생활은 하니 됐고, 하나님 말씀대로 믿음으로 잘 살아라.

미완성의 삶에서 발견하는 완성의 의미　_김장억

　사람은 새로운 길을 동경하는 동시에 두려움을 느끼기 마련이다. 특히 나이가 들어감에 따라 믿음의 길을 걷는 데 대한 두려움은 더욱 커질 수 있다. 그래서 많은 사람은 인생을 '완성된 삶'이라기보다 '미완성의 삶'이라고 표현하는가보다.

　성경 속 모세는 미완성의 삶을 살았던 대표적인 인물이다. 그는 탄생과 교육(40년), 미디안 광야 훈련(40년), 그리고 출애굽 지도(40년)라는 세 단계에 걸쳐 하나님의 큰 계획을 이루어 온 위대한 선지자라 할 수 있다.

　광야에서 물 부족으로 이스라엘 백성이 불평했을 때, 하나님은 모세에게 "반석에게 말하라"라고 명령하셨다. 하지만 화가 난 모세는 반석을 두 번 치며 물을 내게 했고, 이는 하나님의 명령에 어긋난 행위로 여겨졌다. 그 결과, 모세는 약속의 땅에 들어가지 못하였다. 모세는 하나님께 간절히 요청하며 요단강을 건너 가나안 땅을 직접 보고 싶다고 호소했지만, 하나님은 그의 요청을 거절하셨다. 대신, 비스가산 꼭대기에서 약속의 땅을 바라보게 하셨고, 그곳에서 모세의 사명이 마무리되었다.

　인간의 관점에서는 모세의 삶이 미완성처럼 보일 수 있다. 하지만 하나님의 관점에서 모세의 삶은 이미 완성된 것이었으리라. 그는 이스라엘 민족을 이끌어 해방시키고, 율법을 전달했으며, 다음 세대가 약속의 땅을 맡을 수 있도록 기반을 마련했다. 이와 같은 모세의 이야기를 통해 우리는, 완성이 단순히 목표를 달성하거나 끝을 보는 것이 아니라 도전과 실패 속에서 소명을 발견하고 성장하는 과정 자체임을 배울 수 있다. 비록 모세가 약속의 땅에 들어가지 못했음에도 불구하고, 그의 삶은 하나님의 계획 속에서 완전한 역할을 감당한 것이다.

이처럼 우리는 미완성의 삶 속에서도 깊은 완성과 목적을 찾을 수 있다. 그것은 모든 과정 속에 하나님의 뜻이 있음을 깨닫는 데에서 시작된다. 우리 삶이 완벽하지 않더라도, 그것이 하나님의 계획 안에서 의미 있는 과정임을 믿을 수 있어야 한다. 인생의 완성을 판단할 때 하나님의 관점에서 인생을 바라보는 눈을 가진다면, 미완성의 상태에서도 완성을 향해 나아가는 삶의 아름다움을 발견할 수 있을 것이다.

현재 금빛학교 학생들은 인생의 전·후반전을 다 마치고 연장전에 돌입한 상태라 할 수 있겠다. 경기가 끝날 때까지는 한 골이라도 더 넣기 위해 최선을 다해야 할 것이다. 마지막 골을 차는 순간이 곧 세상을 마무리하는 날이며, 우리는 모든 찬사를 받으며 최후의 승리자가 될 것이다. 설령 미완성처럼 보이는 삶을 살아왔을지라도, 미완성의 연주장에도 관객은 존재한다는 사실을 잊지 말자. 우리 금빛학교 여러분이 미완성의 아름다운 연주를 이어가는 주인공이 되기를 소망해 본다.

금빛학교 (1)

_ 김정자

김은규 목사님께 전화가 왔다.

"집사님 좋은 소식 전합니다."

"목사님 나한테 무슨 좋은 소식이 있습니까?"

"70세 이상, 금빛학교에 다닐 학생을 모집하는데 집사님 이름을 올려놓았습니다."

"뭐라구요? 잘 듣지도 못하고 들어도 잊어버리는데 공부가 되겠습니까?"

"듣고 따라하면 됩니다."

"알겠습니다."

그러나 자신이 없었다. 입학 날이 가까워오자 더욱 걱정이 되었다. 하지만 입학 첫날 샬롬홀 문 앞에서 선생님들이 반갑게 웃는 얼굴로 손을 잡고 맞아줄 때 걱정이 모두 사라졌다.

교장 선생님이 믿음에 대한 좋은 말씀을 재미있게 해 주실 때 마음에 위로가 된다. 어린아이처럼 두 손 뻗고 무릎 굽혀가며 율동으로 찬양할 때, 선생님이 인생에 대한 좋은 말씀을 전해줄 때도 은혜가 되었다. 선생님과 반 식구들이 서로 대화하며 간식을 먹을 때 행복하다.

금빛학교를 열어주신 것이 참으로 하나님의 은혜다.

반별로 선생님과 둘러앉아 토론 문제를 이야기할 때에는 고개를 끄덕이거나 갸우뚱거리며 힘을 얻는다. 레크리에이션, 글짓기, 봄노래 부르기, 시니어 뷰티 케어, 나만의 팔찌 만들기, 임상약리학, 치아 건강, 골관절 관리, 스트레칭, 먹거리 안전성, 스마트폰 사진 찍기, AI 인공지능, 크레파스 숨바꼭질, 세무관리, 기독교 인문학 등 저명하신 강사 선생님을 초청하여 우리들이 노년을 건강하게 지낼 수 있도록 알려주었다. 세상에 금빛학교가 아니면 우리가 어디서 그런 귀한 강의를 들을 수 있을까?

공부를 마치고 선생님과 헤어지고 집에 돌아오면 벌써부터 다음 주 목요일이 기다려진다.

시간은 참 빨리도 간다. 벌써 3년이 흘러 6학기 졸업반이다. 졸업 기념으로 금빛학교 학생과 선생님들이 일본으로 선교지 여행을 떠난다. 믿음으로 순교자들이 잠든 곳을 돌아보며 은혜받고 싶다. 물론 즐겁고 안전한 여행이 될 것이다. 이번에도 선생님들이 신경 쓰고 고생하실 것을 잘 안다. 금빛학교에서 여러모로 봉사해 주시는 선생님들이 참 고맙다.

금빛학교 파이팅!

금빛학교 (2)

_ 김정자

나는 집에 있으면 마음이 우울하다.

목요일이 기다려진다 아이처럼

집에서 나와 금빛학교에 오면

선생님들이 천사처럼 웃으며 반겨줄 때

마음이 따뜻해진다.

예수님의 사랑이 느껴진다.

목사님이 좋은 말씀하실 때에 마음이 편하다.

학생들의 얼굴에는 빛이 난다.

한 사람도 어두운 사람이 없다

보기가 참 좋다.

선생님들과 율동하고 찬양하며 마음이 기쁘다.

특강 강사님의 강의를 들을 때 못 알아들을 때도 있지만

마음은 편하다.

선생님과 학생들이 서로 돌아가며 대화하고 간식을 먹으면

행복하고 참 좋다.

금빛학교를 열어주신 것, 하나님의 은혜라 감사하다.

사랑으로 고생하고 봉사하는 선생님들 참 고맙고 사랑해요.

간식담당 김집사의 머릿속 _ 김진경

금요일
어르신들 맛있게 드실 게 뭘까?

토요일
어르신들 건강하게 드실 게 뭘까?

일요일
어르신들 추억을 돋게 하는 게 뭘까?

월요일
언제쯤 주문하면 신선할까?

화요일
어디서 몇 개를 주문할까?

수요일
도착한 간식이 뭐가 있나?

드디어 목요일
우리 어르신들 얼마나 만족하며 맛있게 잡수실까?

냠냠짭짭 간식 담당 김집사의 머릿속

금빛학교 반짝이찬양단

_ 김진경

반짝반짝 금빛찬양단
나의 노력과 행위가 아니라
하나님이 주신 자리

반짝반짝 금빛찬양단
은혜로운 찬양으로 우리의 믿음을 고백하는
하나님이 주신 자리

반짝반짝 금빛찬양단
하나님 아버지께 찬양하며 재롱부리는
어머, 귀여운 금빛학교가 됐네.

반짝반짝 금빛찬양단
하나님이 기뻐하며 기다리시는
반짝이는 자리

봄꽃

_ 노용숙

살랑살랑 달콤삽사름한 봄바람에
노랑 웃음의 개나리가 피어나고
분홍빛 벚꽃의 설레임이
가지마다 물든다.

봄바람에 거리를 휘감는 연분홍 벚꽃
담장 너머 자기가 일 등 핀 꽃이라고 엄지 척을 하는 노란 개나리
새하얀 목련도 마지막 송이를 피워 봄꽃 대열에 합류한다.

한순간 피고 지는 봄꽃
해마다 다시 온다.

믿음 소망 사랑의 꽃은
사계절 내내
금빛학교 우리 모두의 가슴 속에
피어 있다.

금빛학교를 마치며
_ 류정숙

처음 금빛학교를 신청했을 때만 해도 몸이 여기저기 고장난 내가 제대로 교육을 받을 수 있을지 염려를 많이 했다. 시간을 거듭할수록 수고하시는 선생님들의 도움으로 모든 과정을 빠짐없이 참여하고 귀중한 추억을 쌓게 되어 무척 감사하고 기쁘다.

매주 목요일 만남의 시간을 기다린 것은 어린아이들의 설렘 같아, 나의 일상생활에 활력으로 이어진 것 같다. 무엇보다도 작년 봄학기 현장 탐방으로 손양원목사 기념관을 방문했던 기억이 가장 오래 남는다. 한번 가보고 싶은 곳이었고, 평소 존경하는 목사님의 발자취를 직접 보게 된 감흥은 아직도 진한 감동으로 남아 있다. 나이 들어 가져본 금빛학교의 다양한 교육 시간은, 노년에는 아무것도 할 수 없다고 생각해온 나에게 새로운 가치관을 만들어가게 하는 귀중한 시간이 되었다.

우리를 위해 수고를 아끼지 않은 봉사 선생님들의 헌신에 항상 가슴 뭉클한 감사함을 간직하게 된다. 이분들의 수고로 금빛학교가 빛났고 아름답게 간직된 시간이었다. 박수를 보낸다.

기회가 된다면 또다시 입학하고 싶다. 좋은 기회를 만들어 준 교회에 감사한다. 그리고 하나님께 모든 영광을 올려드린다.

예수님밖에 모른다,
금빛학교 오는 길만 안다

_ 서도순

벚꽃을 보았냐고 묻는다
못 봤다
뒷골목으로 와서 모른다
나는 아무것도 모른다
금빛학교 오는 길만 안다
나는 예수님만 안다.

자꾸 시를 적으라 한다
뭐라 캐야 하나
할 말이 없다
그래도 집에서는 멍하니 혼자 있었는데
금빛학교에 와서 너무 좋다.

내가 태어나서 제일 잘한 게
예수님을 믿은 것
그게 최고의 일이다.

금빛학교

_ 손부호

오늘은 금빛학교 가는 날
아침부터 마음이 설렌다.

머리에는 눈꽃이
얼굴은 짜글짜글
허리는 굽고
다리에는 힘이 없어 휘청휘청
보기는 흉하지만
그래도 즐거운 마음으로 교회로 간다.

어릴 적 잠시 했던 학교생활
머리에 가물가물
이것저것 하려니 마음도 손도 떨려
아무것도 할 수가 없다
그래도 장로님 권사님 선생님의 응원에 힘이 생긴다.

자꾸 나의 삶을 되돌아보게 된다.
금빛학교에 가는 것이 즐겁다.

금빛학교

_ 여경옥

어느 아들, 어느 딸이 할 수 없는 걸
금빛학교에서 하고 있다
만나면 서로 반갑고 즐거우니 이곳이 천국이다
모두가 하나님의 은혜로다.

목사님의 좋은 설교에 마음이 편하고
하나 된 찬양 소리 내 마음을 녹인다.

집에 오면 혼자다
혼자 된 지는 얼마 되지 않았지만
후회할 일이 한두 가지가 아니다.

영감님 계실 때 좀 더 다정히 할 걸
금빛학교에 같이 왔으면
이 좋은 거 같이 즐기고 좋았을 텐데
여보 미안해요.

금빛학교 만감

_ 여점순

내 살았던 건 말도 못한다
말로는 다 못해
요즘 일은 자꾸 잊어버리지만
그때 살았던 건 잊히지가 않아
하나님은 아시지.

금빛학교 올 때마다 임 권사님도 같이 했으면
어찌나 좋았겠노 싶다
임종헌 권사님은 구역장, 나는 권찰
깔끔한 형님 성질 맞추느라
나는 이러쿵저러쿵 말도 않고
그냥 순종했지
형님이 먼저 갈지
내가 먼저 갈지 모르지만
천국 가서 만나면 되지.

다들 고생이 많았는데
교회 와서 늘그막에 좋은 이들 알게 되어 얼마나 감사한지
또 아직까지 귀 밝아 남의 말 들을 수 있으니 좋고

오늘도 권사 선생님이 전화해 주니까
이렇게 일어나 1등으로 왔잖아
권사 선생님이 나를 특별히 챙겨준다고 생각하니 참 감사하고
금빛학교 학생인 것이 너무 좋다.

금빛학교

_ 염숙화

하나님!
오늘도 금빛학교에 오도록
마음 열어주신 은혜에 감사합니다.

한 주간 상처받은 일을
회개할 수 있게 도와주셔서 감사합니다.

우리 반에 너무 좋은 가족들을 주시고
나 자신을 돌아보게 하신 것도 감사합니다.

그 옛날 학교생활 할 때보다 더 행복한 마음과
마음의 평안을 주시니 감사합니다.

기다림

_ 윤준자

설레며 기다려지는 우리 교회 금빛학교

찬양과 말씀을 익혀가는 천진난만한 어린이와도 같은 철부지 어른학생들

믿음도 금빛 인생도 금빛 함께하는 금빛학교!

장로님을 따라 힘차게 외치는 구호에 금빛학교 실내는 함박웃음 꽃으로 가득 찬다. 반짝이 찬양단과 함께 감사를 가득 채워 부르는 찬양의 즐거움, 이어지는 만화 같은 그림을 통한 달고 오묘한 말씀…

철부지 어른 학생들을 성숙된 믿음 위에 세우기 위해 가르치시는 목사님의 간절하심에 아멘으로 화답하며 고개를 끄덕이시는 어른학생들의 배움의 모습, 은혜받는 모습이 너무나도 아름답고 좋다.

정성 담아 기획한 프로그램에 이어 아주 달달하고 맛있는 간식 식탁을 즐기며 서로가 마음 문 열어 말씀 중심의 나눔을 하는 시간, 아픔과 기쁨들을 자신의 삶 속에 적용하여 경험한 많은 이야기로 엮어갈 때 박수 치며 공감하며 격려하는 반원들의 진지한 모습… 아! 여기가 우리가 바라고 소망하는 하늘나라가 아닐까?

김 장로님의 말씀 따라, 이 땅에서의 마지막 걸음이 저 멀리 뵈는 천국에서 딛는 첫걸음이 되길 기도하며 나아간다.

금빛학교 6학기, 3년의 행복과 즐거움은 그 무엇과도 바꿀 수 없는 나날이었음에 감사한다. 앞장서서 많은 수고와 최선을 다하신 귀하신 분들께 진심으로 감사를 드린다.

우리 반 두 분 선생님, 사랑하고 축복합니다. 그리고 또 고맙습니다.

절제반

_ 이명화

우리 반 이름은 절제반
학생 수는 다섯 명이다.

한 사람은 서울 볼 일 보러 가신다네
한 사람은 일이 너무 바빠 못 오신다하고
한 사람은 감기가 심해서 참석 불가
한 사람은 딸기 꼭지를 따야 해서 못 오신다네
93세 된 제일 어르신 학생 혼자 오셨다.

달려가 반겨 맞았다
그분마저 안 오셨으면 어땠을까
오늘 우리 반은 이름처럼 출석에 너무 절제했다.

글쓰기, 여기에도 정직함이 필요했구나 _ 이송자

글쓰기 특강시간
좋은 글, 살아 있는 글 쓰는 법을 배웠다

그동안 멋져 보이려고
효과적인 단어들을 찾아왔다.
꼭 하고 싶은 일들도 생각해 봤다.

하지만 정직하고 솔직한 마음이
표현되어야 한다고 한다.
이건 순간에 터득되는 것이 아니었구나!

평소에
늘
관심을 갖고 내 마음속에 있는
그 생각들을
잘 달래고 불러내야겠다.

하나님은 아시겠지요

_ 이연자

평소에 금빛학교에 오고 싶어도
시간이 여의치 못해 4학기가 되어 늦게 입학을 하였다.

입학 첫날 이춘화가 잘 왔다고 해놓고
내가 옷 입은 것을 보고 지적을 했다.
"너 사진을 찍고 하는데 옷이 그게 무엇이냐?" 하면서 무안을 주었다.
집사님은 날 생각해서 한 말인데, 나는 초라하기 그지없었다.

그 뒤로 나는 누가 옷을 잘 입었는지 보게 되었다.
'하지만 옷 안 벗으면 되겠지' 하고 위로를 받았다.
하나님은 아시겠지요!

금빛학교에 스며들다 _이은선

저는 초등부를 담당하고 있는 이은선 목사입니다. 금빛학교에 들어온 지 얼마 되지 않은 새내기 스탭입니다. 점점 금빛학교에 스며드는 중입니다.

처음에는 금빛학교가 뭔지도 몰랐습니다. 아무것도 모르는 상태에서도 이곳에 오게 된 것은 오직 하나님의 인도하심이었음을 고백합니다.

제가 신광교회에 부임하고 나서 석 달 쯤 되었을 때, 아직 교회의 분위기를 살피며 적응기를 거치고 있을 때였습니다. 교역자들의 식사 자리에서 위임목사님이 혹시 반주할 수 있는 사람이 있는지를 물으셨습니다. 저는 "네, 목사님. 제가 할 줄 압니다" 하며 손을 들었습니다. 그리고는 묻지도 따지지도 않은 채 바로 금빛학교에 들어오게 되었습니다. 교회 반주는 어렸을 때부터 해왔고, 사역 나가는 교회에서마다 반주를 했었기에 어려운 일은 아니었습니다. 하지만 신광교회는 제가 사역했던 교회 중에 규모가 가장 큰 교회여서 이곳에서 반주할 일은 없으려니 생각했습니다. 그런데 하나님은 저의 그런 생각을 아셨는지 금빛학교 반주에 봉사하도록 보내신 것입니다.

금빛학교는 학생들도 빛이 나고, 선생님들도 빛이 나는 곳이었습니다. 빛이 난다는 것은 우리의 마음과 행동들이 모두 아름답고 귀하며 한 분 한 분의 섬김이 해처럼 밝게 빛난다는 것입니다. 처음 들어왔을 때는 반주만 했지만 다음 학기부터는 보조교사 역할도 맡게 되었습니다. 일단 발을 담그고 나니 점점 더 금빛학교의 매력에 빠져 조금씩 조금씩 더 스며들게 되는 저를 보게 됩니다. 사실 금빛학교의 학생 어르신들은 제가 담당하는 초등부 아이들보다 오히려 더 활기차고 순종적이기도 합니다. 저는 금빛학교에서의 봉사를 초등부 교회교육과 연결시켜 교회 내에서의 세대 간 통합을 꾀해보고자 생각하고 있습니다. 자라나는 다음 세대들도 하나님의 말씀으로 잘 양육해야 하지만, 이제 인생의 황혼기에 접어든 학생들과 함께하는 금빛학교에서의 시간도 저에게는 매우 소중한 배움의 시간입니다.

금빛학교 단상

_ 이종말

금빛학교 모였다
사랑반에 참석하니 서로 인사도 하고
쑥대그리(쑥떡)도 맛있게 먹었다

좋은 친구 만나고
좋은 말씀 듣고
맛있는 간식도 먹고
노래 하니
좋다.

오늘은 더 좋은 날이다
선생님이 모이라 해서 왔더니
우릴 승용차에 태워
좋은 음식점 데려가
맛난 음식을 먹게 해주었다
우리 선생님은 참 좋다
예수님 사랑일까?

거꾸로 굴러가는 금빛학교　　　　_ 이주옥

그동안 참 많은 학교에 다녀봤지만

금빛학교는 이상하다.
모든 게 거꾸로 굴러가기 때문이다.

일단 숙제도, 시험도, 수업료도 없다.
학교가 모든 걸 다 해준다.
학교도 선생님도 전혀 무섭지 않다.
학생들은 그저 오기만 하면 된다.

다른 학교들은 어려운 글자투성이 교과서에, 만화는 못 보게
막았지만
교장 목사님도 설교를 만화로 하신다.
두 눈이 초롱초롱 재밌고, 아하! 머릿속에 내용이 쏙쏙 들어온다.

수업은 교사가 가르치지만
배우는 건 학생들이 아니다.
항상 교사들이 훨씬 더 많이 배운다.

학생들은 어르신

선생님들은 그보다 나이가 어리다.

이렇게 하고도 잘 굴러가는, 금빛학교는 정말 이상하다.

금빛학교

_ 임은미

2023년 처음 금빛학교를 통해 만난 어르신들은 낯설고 친숙하지 않았습니다. 시간이 지나며 차차 얼굴을 익혀가다 보니 모습이 새겨지고 서로의 삶과 마음을 알아가게 되었습니다.

큰 소리와 박수로 찬양하시는 금빛학교 어르신들,

목사님 말씀에 아멘으로 화답하시는 금빛학교 어르신들,

반별 나눔을 하며, 신광교회에서 오랜 시간을 보냈지만 이제야 만나 삶을 나누고 위로하는 시간을 가져본다며 좋아하시는 어르신들

금빛학교를 통해 어르신들의 삶의 여정에 줄곧 함께 계셨던 하나님의 역사가 신광교회의 기초와 토대가 되었으며, 이들의 굳센 믿음과 긴 시간 동안 이어져 온 기도가 하나님이 외면하실 수 없는 금빛 어르신들의 무기임을 알게 되었습니다.

금빛학교를 통해 기쁨과 감사가 넘쳐납니다.

더욱 사랑의 마음을 가득 담고 두 손 펼쳐 받은 복을 흘려보내는 넉넉한 금빛학교가 되기를 소망해 봅니다.

조용한 교회에 밝은 웃음소리가
울려 퍼지는 날 _ 장윤정

매주 목요일은 미소가 아름다운 금빛학교 학생들과 섬김이 스탭들이 모여 하나님의 말씀을 배우고 기쁨과 행복을 나누는 날입니다.

저는 어르신들께 드릴 간식을 준비하는 간식 보조 봉사자입니다. 장혜옥 권사님의 수고로 샬롬홀까지 배달되는 정성스러운 간식을 마주하면 그 수고와 사랑에 절로 웃음이 납니다. 저는 간식을 담아낼 쟁반과 식기류를 닦으며 각 반에 전해드릴 맛있는 간식들을 정성스럽게 담아냅니다. 그 시간 주님은 제 마음을 따뜻한 감사로 채우십니다.

때때로 금빛학교의 모든 분들이 저를 향해 큰 감사의 박수를 쳐주시기도 하는데 처음에는 무척 부끄러웠지만, 간식을 받아들고 환한 미소로 기도드리는 어르신 학생들의 모습을 보며 오히려 제가 더 큰 기쁨과 보람을 누리고 있음을 깨닫습니다.

따스한 햇살이 구름 사이로 스며드는 것 같이 금빛학교 간식 봉사를 통해 하나님은 제 마음에 기쁨과 사랑을 주십니다. 봉사를 통해 제게 기쁨의 은혜를 주시는 하나님께서는 우리의 작은 행동

하나도 서로의 삶을 돕는 빛이 될 수 있음을 알게 해주셨습니다.
그래서 저는

간식 봉사를 하며 얻은 기쁨을 기억하려 합니다.

작은 일이라고 하찮은 마음을 품지 않겠습니다.

섬김의 자리를 사모하고 그 감사함을 흘려보낼 수 있는 자녀가
되겠습니다.

저를 금빛학교 봉사의 자리로 불러주신 전부선 사모님 감사합니다.

하나님 감사합니다.

개강을 기다리며

_ 장혜옥

야호
날씨가 많이 풀린 것 같아요.
어제 경칩이었는데
땅이 조금씩 녹고
머잖아 새싹이 올라오고
꽃소식도 들리겠지요?

사랑하는 사람을 기다리듯
봄을 기다리고
개강을 기다리고
우리는 항상
예수님 오심을
기다리네요.

기다리는 마음
설레는 마음
정결한 마음
아름다운 마음
천국을 소망하는
금빛학교 모든 이의 마음

마지막 학기를 맞이하며 _ 전건우

금빛학교에 입학을 할까 말까
망설이다 입학한 지 벌써 3년!

대부분이 여학생이라 왠지 쭈그러들던
마음이 학기가 바뀌면서 자연스러워졌음은
주님의 이끄심과 시간 시간마다 받은 은혜 덕분이 아닐까 싶다.

벌써 졸업반!
'빛나는 졸업장을 타신 언니께 꽃다발을
한 아름 드리옵니다......'
국민학교 졸업식장에서 부르며 그리운 선생님과
정든 학교를 못 잊어 눈물 흘리던 추억의 그 시절이 필름처럼 스
처간다.

그간 우리들을 위해 물심양면으로 도와주신 여러 선생님과
운영진 여러분, 그리고 시간마다 은혜로 우리를 인도하신
하나님께 감사, 감사를 드린다.

금빛학교 가는 길

_ 전부선

온 세상에 한 철 피고 지는
벚꽃비가 내린다
꽃잎 한 장 잡아보려 손을 내밀지만
잘 잡히지 않는다.

금빛학교 교실에 도착하니
주름진 얼굴에 해맑은 웃음 담은
지지 않을 믿음 꽃비가 내린다.

손 내밀지 않아도
먼저 와서 내 손에 잡힌다
내 마음에도 들어와 안기운다.

오늘도 내 마음은 금빛이다.

금빛학교

_ 정순자

금빛학교
생각만 해도 행복하고 기쁘고 즐겁다.
누가 날 이렇게 반갑고 기쁘게 맞아 줄까?

목사님 말씀하실 때
유치원 애들한테 하는 것처럼 온몸으로 쉽게 풀어주시니
귀에 쏙쏙 들어온다.

금토일월화수목
금빛학교 열리는 목요일만 기다려진다.
천국 가는 날까지 끝까지 할 거다.

故 정강옥 권사님을 추모하며　　　　_ 정옥조

　권사님 천국에 잘 가셨지요?

　오늘은 2024년 5월 30일, 금빛학교 4학기 종강 날입니다.

　어쩜 권사님은 그렇게 이별도, 송별식도 없이 이번 학기 한중간
에 혼자서 훌쩍 떠나가셨나요?

　우리가 성경에서 배운 황금 보석 꾸민 집에서 권사님, 평안히 잘
계시지요?

　권사님은 믿음을 잘 지키셔서 예수님 사랑으로 이 땅에서 많은
복을 누리시다 이제는 하늘나라 영원한 집으로 돌아가셨네요.

　옛날 어른들이 여자는 남편 앞에 죽는 것이 복이라 하셨는데 권
사님은 그 복도 받으셨네요.

　권사님처럼 저희들도 언젠가는 내 집, 천국으로 갈 거예요.

　그때 다시 만날 때에는 천국에 익숙하신 권사님이 우리들을 반
갑게 맞아주시겠지요?

　천국이 그렇게도 아름다운 곳이라고 늘 성경으로 배웠건만 아직
은 천천히 가고 싶습니다.

　우리 모든 학생들은 좀 더 오래도록 금빛학교에 다니다가 천천히
가렵니다.

　권사님 천국에서 우리 다시 만날 때까지 평안히 계십시오.

금빛학교 글쓰기 공부

_ 정옥조

목사님께 글쓰기 공부를 배웠다.
글쓰기 강의는 처음 들어본다.
너무 좋다.
나도 글을 쓸 수 있을까?
용기를 한 번 내어보자
우리 금빛학교 졸업 때 멋진 글을 써보고 싶다.

와! 글쓰기 공부를 했는데도 무엇을 써야할지,
도무지 쓸 수가 없네.
어처구니가 없다

오늘도 목사님과 글쓰기 공부를 한다.
허리도 아프고 다리도 아프다.
그래도 글쓰기 공부는 너무 좋다. 재밌다.
금빛학교에 이렇게 좋은 프로그램이 있다니
좋다.

믿음의 유언장   _ 정옥조

사랑하는 우리 아들들에게

오랜 세월을 살아와 보니 하나님을 의지하는 믿음의 삶이 근본이더라.

올바른 양심으로 세상을 반듯하게 살아가는 것이 자신에게도 부끄러운 일이 적어 좋더라.

너희들도 믿음을 굳게 지켜, 빛과 소금의 사명을 다하며 살기 바란다.

주님의 약속 말씀이 거창하고 힘든 삶이 아니다.

늘 평안을 간구하며 살아라.

너의 식솔들을 잘 챙기고 주위에 있는 분들 마음을 불편하게 만들지 말아라.

겸손하게 이웃과 잘 지내라.

작은 일에 충성하고, 소자에게 냉수 한 그릇 대접하는 마음으로 후히 베풀며 살기 바란다.

하나님을 아는 것이 삶의 근본임을 절대로 잊지 말아라.

2024년 11월 7일에 엄마가

2025년 3월 봄학기 _ 정옥조

봄학기!
칠십 평생을 살아오며 수십 번을 들어온 말이다.
나의 학창시절이나 자녀들이 학교 다닐 때나
늘 처음 시작되는 새 학기로만
그냥 새 각오로 열심히 공부하고 힘차게 시작하라는…

그런데 이번 금빛학교 봄학기는 느낌이 다르다.
설레임도 기다림도 다르다.
너무 행복하고 감사한 마음이다.

금빛학교 봄학기!
이 나이에 학생의 신분으로 새 학기를 맞이한다는 것이
얼마나 감사한 일인가?
비록 겉모양은 할머니지만 마음에는
아직 그 어릴 때 수줍어하던 소녀의 기분이 남아있으니 말이다.

이번 금빛학교 졸업반
새학기에도 최선을 다해 열심히 배우고, 서로를 사랑하며
즐겁게 다니고 싶다.

금빛학교

_ 정은숙

사명이 차오르는 목요일이면
신광의 어르신들
삼삼오오 모여들어요.

빛나고 아름다운 세마포 입고
순종하며 나눠요.

때론 속사람이 드러나 속상해도
진정한 겸손을 배우는 이곳 금빛학교

말씀 충만, 은혜 충만, 감사가 충만해져
교회문을 나서면
문득 지나가는 폐지 가득 실은 리어카 하나

영차, 영차 사랑의 힘을 보태요
힘거운 언덕을 함께 올라요.

금빛학교

_ 조숙자

금빛학교!
교회 노인대학?
주변에서 강권하여 신청을 하고 첫 시간 갔으나
몸도 아프고 왠지 어색해서 가지 않으려고 했다
하지만 두 번, 세 번
가다보니 너무 즐겁고 좋았다
하나님이 나를 금빛학교에 가도록 인도하셨다.

하나님도 만나고
좋은 말씀도 듣고
친구도 만나고
즐겁고 좋은 학교생활이다.

이제는 '목요일은 금빛학교 가는 날'이 되었고
목욕하고 머리도 만지고 아침부터 준비를 한다
운동을 하다가도 금빛학교 갈 시간이 되면
서둘러 교회로 발걸음을 옮긴다
금빛학교 참 좋다.

주상일 목사입니다 _ 주상일

2024년 봄학기에 금빛학교를 맡게 되었을 때, 교회의 어르신들을 섬긴다는 것에 대한 기대와 설렘이 있었습니다. 무엇보다 신앙의 오랜 선배들과 함께 동역하며 배움의 시간을 가질 수 있다는 사실에 더욱 기대가 컸습니다.

특별히 놀라웠던 것은 금빛학교의 커리큘럼이었습니다. 매주 위임목사님의 말씀과, 어르신들의 일상생활에 필요한 주제별 강사들을 모시고 다양하면서도 유익한 강의를 접할 수 있었습니다.

또한 커리큘럼은 교회(실내) 활동에만 국한되지 않고, 학기별로 기독교 역사 탐방을 통해 하나님께서 주신 자연을 다함께 누리며 신앙의 회복을 경험하는 시간까지도 포함하고 있었습니다. 인상적이었습니다.

이러한 금빛학교 과정은 여러 선생님의 수고와 헌신으로 이루어집니다. 선생님들은 목요일을 온전히 금빛학교를 위해 헌신하십니다. 매주 목요일이면 일찍부터 모임을 준비하기 위해 분주히 섬기시는 모습들이 있습니다. 테이블 셋팅, 조끼, 명찰, 교재, 영상음향 시설 그리고 맛있는 간식을 준비하는 섬김의 손길, 기쁨 넘치는 찬양으로 섬기는 반짝찬양팀이 있기에 금빛학교는 아름답게 운영되고 있습니다. 또한 금빛학교 수업을 마친 선생님들은 오후 늦게까지 따로 모여서 다음 주의 교육과정을 준비하십니다.

이렇게 하나님과 교회를 위한 아름다운 섬김으로 이루어지는 금빛학교가 졸업 학기인 6학기를 맞았습니다. 4월 21일부터는 일본으로 3박 4일 여정의 졸업여행을 다녀오게 됩니다. 또한 그동안 작성했던 글들을 모아 '금빛인생'이라는 책으로 펴내는 작업을 진행하며 졸업을 준비하고 있습니다.

지난 3년간 수고하고 헌신하신 분들에게 하나님의 위로와 회복이 충만하길 소망하며, 올 후반기에 시작될 2기 금빛학교 역시 하나님께서 온전히 인도해 주시길 기도드립니다.

금빛학교

_ 채월성

금빛학교
이름부터가 너무 좋다.
은빛도 아니고 골드도 아니고 '금빛'
한층 격이 있어 보이지 않는가
모여서 좋고 또 여기만 오면
나의 자존감이 높아지는 것 같아 왠지 한껏 대접받는 느낌
집에서는 집순이, 밥순이가 아니던가

오늘도 금빛학교에 왔다.
서로 아름답게 바라보며 담소도 나누며
바라보는 것만 해도 기쁘고 은혜가 된다.
살아 있어 감사하고 여기까지 올 수 있어 행복하다,
"사랑하는 내 딸아 내가 너를 잘 아노라."
"사랑한다 월성아 네게 축복 더하노라."
귓속말하시는 주님의 은혜에 내 마음이 한껏 충만하다.

비발디 사계　　　　　_ 채월성

　지난 시간 금빛학교에서 비발디의 사계 중 봄 1악장 공부한 것을 바탕으로 다시 12악장 전부를 감상했다.

　친근감이 있지만 강아지 소리는 느낄 수 없었다.
　음악이란 것이 위대한 것 같았고, 우리 생활에 절대적인 면이 있다는 생각이 든다. 문외한인 나도 음악의 리듬에 맞추어 몸을 맡기며 차 한 잔의 여유를 즐길 수 있으니 말이다.

　지금 여름으로 넘어가서 더욱 강렬한 리듬이다.
　뜨거운 태양 아래 모두 지쳐간다고나 할까? 인생의 가장 왕성한 젊음을 상징하는 듯 강한 리듬으로 가을로 넘어온다.

　가을, 힘찬 리듬에 생동감이 느껴지며 그래도 안정감이 있는 그런 기분이다. 수확의 계절을 의미하듯 즐겁고 흥겨운 가락이다.

　이제 겨울의 묵직함이 울린다. 다시 잔잔하면서 편안한 리듬으로…
　인생의 겨울을 맞이한 나는 모두에게 이처럼 편안하고 안락하고 따뜻함을 전할 수 있는 그런 통로가 되고 있는지 돌아보는 시간이었다.

기다림

_ 최준곤

목요일 오후가 기다려진다
금빛학교가 기다리고 있기 때문이다.

먼저 오신 선생님들의 환한 미소가 기다리고 있다
믿음도 금빛 함께하는 금빛학교, 우렁찬 구호가 기다리고 있다
매주 달라지는 맛난 간식과 다양하고 알찬 특강이 기다리고 있다.

즐겁다
행복하다
천국 갈 때까지 계속하고 싶다
아프지도 말고 건강하게 살면서…

기다려지는 금빛학교

_ 한영수

다른 교회에서 옮겨오니
적응하기가 쉽지 않았다.
몸도 여기저기 좋지 않고 어지럽기도 하고
그만둘까 생각도 들었지만
억지로라도 힘을 내서
참석하면 웃고 힘을 얻어 간다.
이렇게 나오니 너무 좋다.

금빛학교 4행시

김금이

금: 금이야! 금빛학교에 다니더니
빛: 빛이 난다.
학: 학교와
교: 교회가 나에게는 금상첨화로다. 아멘

김복성

금: 금빛이어라 은퇴 후의 우리 삶
빛: 빛나리 금빛으로 반짝반짝
학: 학교 가면 모두가 신앙 동역자
교: 교제하며 천국 향한 참 소망 있네.

김장억

금: 금발 머리 휘날리며
빛: 빛의 속도로
학: 학교로 달려가는
교: 교인은 바로 금빛학교 학생이다.

김창길

금: 금보다 귀한 학교
빛: 빛과 소금의 역할을 하는 학교
학: 학생과 교사가 한마음이 되는 학교
교: 교회에서 성도님들에게 믿음과 희망을 주는 학교

김행자

금: 금수강산 대구 땅에
빛: 빛 발하는 곳 있으니
학: 학교 중의 최고
교: 교회 안의 금빛학교

이주옥

금: 금빛학교 3년이 순식간에 지나갔습니다.

빛: 빛나는 졸업장을 받습니다.

학: 학부모는 자녀와 손자입니다.

교: 교회에 꼭 필요한 영적 어른이 되겠습니다.

장정기

금: 금처럼 귀하고

빛: 빛나고 아름다운

학: 학교, 금빛학교 와 보니

교: 교사 학생 모두 신광교회의 믿음의 보배이십니다.

전건우

금: 금빛학교 제1기 졸업을 앞두고

빛: 빛나는 졸업장 받을 생각을 하니

학: 학생이란 이름으로 지나온 3년 세월

교: 교육과 사랑으로 애쓰신 선생님들의 은덕이었네.

제2장 금빛학교 플러스

금빛학교 졸업여행에 거는 기대

_ 강성숙

팔십이 되어가는 이 나이에
졸업여행이라는 기회가 왔다
여행을 별로 내켜하지 않는 나였기에
기회가 주어져도 행여 남에게 짐이 될까
주저했다
꼭 가야 하는 것도 아니기에…

그런데 이번에는 용기를 내어봤다
금빛학교에서 가는 여행이고
또 멀지도 않고
좋은 사람들과 함께 하는 여행이기에

졸업여행 날짜가 다가온다
졸업여행이 점점 기대된다.

일본성지순례:
야이자 사적공원을 탐방하며 _ 권성련

카미로 콘스탄츠오 신부님!
화형 당하시던 모습을 바라보며 목이 메었습니다.

얼마나 하나님이 좋았길래
목숨을 아끼지 않으며 복음을 전했단 말입니까?

겁나고 두렵지 않았단 말인가요?
이글거리는 불꽃 속에서 기도했겠지요
이글거리는 불꽃 속에서 찬송을 불렀겠지요
예수님의 형틀을 직접 체험하셨기에
어떤 두려움도 겁남도 없었겠지요.

당신의 마음을 가득 채운 하나님 말씀 전파의 열정
불꽃보다 더 강한 진리의 말씀으로
얼마나 많은 꽃을 피웠을까요.

머나먼 타국 땅에
꽃피운 하나님의 말씀과 살아

이글거리는 불꽃이 조금도 겁나지 않았던 신부님

불꽃 같은 당신의 아름다운 모습이 보였습니다.
천국에서 하나님 보좌 우편에 앉아 계시겠죠.

사랑

금빛학교 탐방 시에
손양원 목사님 기념관에서
목사님 영상을 보며
가슴이 뭉클하였다.

두 아들 죽인 원수를 양자로 삼으시다니
예수님이 오버 랩된다.
마음이 숙연해진다.
그 울림이 그 무엇보다 오래간다.

하나님 사랑!
나라 사랑!
이웃 사랑!
사랑이 제일이라…

인내반 소풍

_ 김옥묘

오늘은 소풍날. 소풍을 간다고 하여 설레어서인지 아침 일찍 일어났다. 그런데 어제 비가 왔다. 걱정이었다. 우리 인내반이 소풍 가려고 했는데 비가 와서 소풍을 못가면 어쩌나 하고 걱정을 하다가, 자기 전에 하나님께 간절히 기도했다. "하나님 내일 날씨가 좋아서 꼭 소풍을 갈 수 있도록 해주세요."

아침 일찍 일어나보니 날씨가 너무 좋았다. 덩달아 내 마음도 너무 좋았다. 무엇보다 하나님께서 내 기도를 들어주셔서 기뻤다. 아이 같은 마음으로 좋아라 콧노래를 부르며 계란 몇 개를 삶았다. 서둘러 밥을 조금 먹고 버스를 타고 교회로 갔다. 먼저 오신 권사님과 집사님이 계셨다.

우리는 월광수변공원으로 갔다. 경치가 너무너무 좋았다. 같은 장미꽃인데도 빨강, 노랑, 울긋불긋한 색깔로 많이 피었다. 너무 기뻐서 아이 같은 마음으로 사진도 찍고 맛있는 간식도 나눠 먹고 오순도순 앉아서 이야기도 하고 재미있게 놀았다. 점심밥까지 맛있게 먹고 교회로 와서 또다시 우리 인내반끼리만 모여 맛있는 차도 마셨다.

오늘은 참 기쁘고 즐거운 소풍날이었다. 이 모든 것을 하나님 앞에 감사드린다.

탐방 이야기 _ 김옥묘

손양원 목사님의 순교 정신…

첫째도 순교요, 둘째도 순교요, 셋째도 순교니 순교를 각오하십시오. 때가 왔으니 살기를 노력 말고 잘 죽기를 원하십시오. 내 주를 위해서는 일신 일가 일교회 일국가로 희생하고, 하나님을 위해서는 모든 일체를 희생하는 사랑의 사람이 되고 싶다.

용서와 감사의 손양원 목사님
하나님의 종 손양원 목사님
한센인들의 친구, 손양원 목사님
내가 만난 작은 예수, 손양원 목사님

손양원 목사님께서는 그 많은 나병환자들을 손수 환부까지 혀로 핥으시고 그 피고름을 입으로 빠시며 썩은 상처도 당신의 손으로 직접 치료하셨다. 하나님의 사랑이 아니면 어떻게 할 수 있었을까?
나는 남편을 간병하면서도 힘들다고 했는데…
그래서 손양원 목사님을 작은 예수라고 이야기하나 보다.

잠복 크리스천(Hidden Christians)의
흔적을 찾아서

_ 김장억

잠복 크리스천에 대한 박해 흔적지를 돌아보면서 일본의 기독교 전파 가능성을 알아보기 위해 금빛학교 학생들과 함께 후쿠오카-쿠마모토-시마바라-나가사키 일대를 순례하였다.

일본 에도시대(1603~1868)의 무자비한 기독교 탄압 속에서 비밀스럽게 신앙을 유지했던 기독교 신자들을 잠복 크리스천이라고 한다. 이들은 당시의 강력한 기독교 금지·탄압 상황에서 자신들의 신앙을 드러내지 못한 채 독창적인 형태의 신앙 체계를 유지·계승해 왔다. 이들의 유산은 나가사키와 고토 열도 등지에서 발견, 전승되고 있으며 2018년에는 히든 크리스천 마을과 유적들이 유네스코 세계문화유산으로 등재되는 성과로 나타났다.

순례 중 들른 운젠 지옥계곡의 고문 현장을 보며 그 참상을 머릿속에 그려보니 차마 인간으로서는 상상하기 어려워 그 지역을 벗어나기가 쉽지 않았다. 유황 증기 솟아나는 그곳에서 하늘도 안개와 비바람으로 우리들의 발목을 잡았다. 결국 버스 창으로만 보고 떠나기에는 너무 아쉬워 다음날 새벽에 다시 현장을 찾았다. 순교지에 세워져 있던 십자가를 보며 마치 내가 그 십자가에 달려 끓는 온천물로 고문을 당하는 듯한 느낌이 들었다. 잔인하기 짝이 없었다. 비록 목숨 바쳐 순교하지는 못하더라도 그러한 상황에서 비밀리에 신앙을 유지해 온 잠복 크리스천의 발생 사실은 십분 이해가 되었다. 그럼에도 일본인들이 그들의 정신을 제대로 이어가지 못하는 것이 아쉬웠다. 우리가 일본을 가슴에 품고 더 많이 기도할 때, 순교한 26성인을 비롯한 많은 잠복 크리스천의 기도가 이루어질 것이다.

비록 많은 신사와 사찰이 있어 일본인들이 그들의 죽음 이후를 그곳에 내맡긴다고 하지만 그들의 내면은 목이 말라 물을 찾으며 까맣게 타죽어갔던 나가사키 원폭 희생자들과 다를 바 없기에, 생수 되시는 예수님이 강력히 전해지기를 소원한다.

어쩌면 색깔이 좀 다르기는 하지만 우리 주위에도 잠복 크리스천들이 있다. 코로나를 겪으며 그 숫자가 더 많이 늘었다. 그러나 주님의 십자가를 경험하고 주님의 지상 명령을 받은 자라면, 잠복 크리스천으로만 머물 수는 없을 것이다. 하루 빨리 신앙의 잠복 상태를 벗어버리고 공개 크리스천이 되어 부활의 증인 된 우리들과 함께 땅끝까지 복음을 전하자.

금빛학교 졸업여행으로 일본 기독교 순교지를 돌아보면서 언젠가 때가 되면 일본 열도가 하나님의 사랑으로 충만하기를 기도한다.

금빛학교 일본졸업여행 _ 노용숙

두근두근, 가슴 설레는 마음을 안고 금빛학교 졸업 여행의 기쁨을 품으며 공항으로 향했다. 이 여행이 단순한 나들이가 아닌, 하나님께서 예비하신 특별한 은혜의 여정이 되길 기도하며 발걸음을 옮겼다.

형형색색 아름답게 단장하신 금빛 어르신들
90세를 훌쩍 넘긴 귀하신 두 분의 집사님
늘 휠체어로 동행하며 사랑으로 섬겨주신 이종말 장로님
따뜻한 미소로 함께해주신 이송자 권사님
사랑의 목회자 전광민 목사님과 천사 같은 전부선 사모님
김장억 장로님, 김창길 장로님, 장혜옥 권사님, 이주옥 권사님
믿음의 선배님들과 함께 귀하고 복된 발걸음을 내딛었다.

여행 내내 사진 찍고, 짐 들어 옮기며 묵묵히 섬겨주신 전광민 목사님께 어르신들께서는 한목소리로 감사의 마음을 표현하셨다.
"고맙습니다. 목사님이 젊으시니 우리가 섬김을 받습니다그려."
그 섬김 안에, 그 감사 안에 그리스도의 사랑이 고스란히 담겨 있었다.

일본 땅 곳곳에 남겨진 순교자들의 눈물과 피의 흔적 앞에 우리는 깊은 감동과 울림을 경험했다. 믿음의 자유가 허락된 땅에 살아간다는 것이 얼마나 큰 은혜인지 주님 앞에 다시금 감사의 기도를 올려드렸다.

하하호호 웃음이 끊이지 않았던 여행길

그 안에서 듣고 배운 선배님들의 살아온 이야기들은 조용히, 그러나 깊숙이 우리들의 마음을 어루만졌고 잔잔한 감동을 새겨주었다.

이 여정은 단지 졸업을 기념하는 여행이 아니라, 세대와 세대를 잇는 믿음의 만남이자 하나님의 사랑을 나누는 시간이었음을 고백한다.

주님!

이 모든 시간을 허락하심에 감사드립니다.

저희의 모든 걸음 위에 주님의 은혜가 머물렀음을 고백합니다.

앞으로의 길도 주님의 손 붙잡고 담대히 나아가게 하소서.

아멘!

일본졸업여행을 기다리며

_ 여점순

졸업여행을 한 번도 가본 적이 없다
너무너무 좋다
이 나이에 여행 간다는 게
아무나 가나?
금빛학교니까 졸업여행을 가게 되고
감사한 일이다.

윤준자 권사도 간다는 게 너무너무 좋아
오래전부터 친군데
안 간다고 해서 섭섭했는데
같이 가게 되어 너무너무 좋은 기라.

오래전에 딱 한 번 제부 따라 일본에 가봤지만
잘해 놓은 게 절뿐이더라
이번 졸업여행은 순교지를 간다니까 최고지.

비행기에, 온천에 난 모르지만
그냥 따라가면 되지 뭐.

나이가 이만큼 많은데 졸업여행이라니
금빛학교 학생인 것이 너무 좋다.

소풍

_ 육정희

생각만으로 설렌다
내일은 소풍을 간다.

어릴 적 학교 다닐 때 갔던 소풍은 먹는 재미
어르신들과 가는 금빛학교 소풍은 또 다른 재미

지혜를 배우고
사랑을 배우고
동심을 되살린다.

천천히 걸어야 합니다.
손잡고 걸어야 합니다.
선생님만 따라가야 합니다.

생각만으로도 웃음이 난다
좋다
선생님이 되어보는 어르신들과의 소풍

감사하며 내일을 준비한다.
소풍은 아이에게나 어른에게나 설렘으로 가득하다.

꼭 가고 싶은 일본졸업여행   _ 이기순

일본졸업여행을 가게 돼서 너무너무 기쁜데
감기가 덜렁 찾아왔네
날 잡아놓고 여행 못 갈까 염려했더니 병이 나버렸어
다른 사람한테 옮길까봐 곽병원에 입원했다
일주일이나 했다
일본졸업여행은 가야 할 것 아닌가
친구 하는 말이 뽀시랍다 하길래
할 말 없다 했지.

우리 딸이 지난 12월 달에 우리 교회에 왔다
반가운 마음에 우리 딸도 같이 가자고 했지
나 혼자 가는 것보다
같이 가서 같이 자면 맘이 즐겁고 놓이잖아.

몸이 준비됐으니 이제는 그냥 가면 되지
그냥 따라가는 거지.

일본 졸업여행을 다녀와서   _ 이기순

금빛학교에서 졸업여행을 간다 하여 의심 반, 기대 반으로 기다렸다. 과연 우리처럼 나이 많은 노인들을 데리고 그것도 국내가 아닌 일본으로, 하루이틀이 아닌 3박 4일 일정으로 졸업여행을 떠나는 일이 가능할지 의심이 들었지만 그래도 학창시절 때 가보지 못한 졸업여행이라 기대가 많이 되었다.

그런 도중 지난 4월 초에 갑자기 폐렴 진단을 받았다. 여행을 떠나야 할 즈음에 하나둘씩 후유증이 생기면서 여행을 포기해야 하나, 염려가 많이 되었다.

"하나님! 친구들과 함께하는 졸업여행 저 또한 잘 다녀오고 싶습니다."
계속 기도하는 가운데 하나님께서 말씀을 들려 주셨다
"걱정하지 마라, 내가 너를 지켜줄 테니 의심도 하지 마라."
주신 그 말씀이 어찌나 은혜로운지 그저 감사했다. 그리고 용기를 내어 짐을 싸기 시작하였다.

하나님의 말씀처럼 성지순례를 하는 동안 내 몸도 가뿐해지기 시작하였다.

목사님과 장로님은 늘 학생들의 안전을 신경 써주시고, 여러 선생님은 건강을 챙겨주셨다. 내가 조금이라도 힘들어할 때에는 얼마 되지 않는 길이니 함께 가자며 팔을 잡아 용기를 주셨다.

걱정이 많았던 여행이었지만 하나님이 눈동자같이 지켜주시는 가운데 은혜로운 시간이 되었다. 끝으로 처음부터 끝까지 어려운 여행 일정을 계획하고 실행해 주신 목사님과 장로님, 알뜰하게 챙겨주신 교사 선생님께 감사의 말씀을 드리고 싶다.

수고 많으셨습니다!

졸업여행후기:
아니 벌써 추억이 되어버렸네　　_ 이송자

졸업여행 계획이 발표되던 날

그러려니 하고 기대하지 않았다. 걷기조차 불편하신 어르신들을 모시고 일본 순교지, 순교지 탐방이라니… 불가능하다고 단정 지었다.

그러나 그게 아니었다. 여행계획이 세워지고 일정이 발표되지 않는가? 반신반의하는 마음으로 여행비를 입금… 사순절 특별새벽기도 기간이라 약간의 부담이 있었지만 행복하고 설레는 맘으로 사순절을 보냈다.

출국 수속을 하는 금빛학교 학생들의 모습은 너무나 행복해 보였다. 나 또한 마찬가지였다.

'덜컹' 이륙하는 비행기 바퀴의 감각에 이젠 정말 가는구나 싶었다. 그 순간부터 시작되는 목사님, 장로님 그리고 여러 선생님의 사랑과 헌신과 봉사는 예수님을 꼭 빼닮은 것이었다. 힘들고 불편하지만 연신 웃음 띤 얼굴로 힘을 내신다. 똑 소리 나는 가이드의 설명이 있을 땐 두 귀 쫑긋 하여 경청하시고, 또 묻고 관찰하시는 열심도 참 보기 좋았다.

숙연해지는 순교 현장

안타까움으로 바라보는 원자폭탄 투하 현장

하나님 복음 전파 현장의 아쉬움을 보았다.

돌아와 카톡에 올라온 사진들을 한 장 한 장 확인하면서, 아니!
벌써 추억이 되어버렸네. 운영에 수고하신 장로님과 목사님, 섬김
으로 땀 흘리신 여러 선생님, 열심히 함께한 금빛학교 학생 여러분
참 즐거웠습니다. 수고 많이 하셨습니다. 많이 많이 사랑합니다.

아들이 가라고 한다

_ 이연자

엄두도 못 내는 일본졸업여행
그런데 아들이 가라고 한다
그래서 마음을 먹었다
아들이 여권도 해주고 경비도 대주고
나는 행복했다.

나는 그것보다 아들이 교회 가는 것이 더 기쁘다
어릴 때부터 군에 갔다 올 때까지 잘 다니던 교회를
사회생활 하면서 안 가고 쉬고 있다
나의 기도 제목이다
하나님 이 죄인의 기도 들어주세요.

사랑의 원자탄 손양원 목사   _ 이영자

제가 손양원 목사님 기념관을 방문한 것은 이번이 세 번째입니다.

첫 번째 갈 때는 그냥 아무 생각 없이 전도회에서 갔습니다.
그런데 너무나 엄청난 충격을 받았습니다.
다녀와서 한 주간 정말로 많이 울었습니다.

두 번째 가서도 기도문과 엄청난 일들을 보고
하나님과 사람들 앞에 나 자신의 작은 신앙이 부끄러웠습니다.

세 번째에는 모든 것을 자세히 볼 수 있었고 회개하며
남은 날들을 주님 앞에 감사하는 마음으로 살겠다고 다짐했습
니다.

일본 순교지 탐방 후기   _ 이종말

그들은 왜
파란 눈의 젊은이
그들은 왜
낯설고 물 설은
그 땅을 찾았을까?

멸시와 박대
찔림과 베임
십자가 달림과 불태움
지옥 고난당하며
죽어갔을까?

그들은 알고 있었구나
그래서 행했구나
예수님 십자가의 길 따라갔구나
하나님 기뻐하시는 일

금빛학교 졸업여행:
일본 북큐슈 지방 성지순례　　　　_ 이주옥

　금빛학교 어르신들의 졸업을 기념하여 일본 북큐슈 지방의 기독교 박해 현장을 다녀왔다. 일본에 기독교가 처음 전파된 것은 1549년, 프란치스코 하비에르가 일본에 도착하면서 시작되었다. 그 후 16세기 말부터 17세기 초, 일본은 무역과 군사적 이익을 위해 적극적으로 선교를 수용하였고 기독교는 일본에서 빠르게 확산되었다. 그러나 도요토미 히데요시와 도쿠가와 막부 시기, 정권이 안정되자 이들은 외세 개입과 사회 혼란을 우려하여 기독교를 탄압하기 시작하였다. 기독교를 막부의 중앙집권적 통치와 충돌하는 요소로 인식하였기 때문이다.

　약 250년 이상 지속된 기독교 억제와 금지 및 박해로 인해 오늘날에도 일본의 기독교 인구는 전체 인구의 약 1% 미만으로 추정되며, 그 사회적 영향력 또한 매우 제한적인 소수자의 위치에 머무르고 있다.

1. 다녀온 곳

1) 구마모토 아리마 크리스천 유산 기념관
예수회 순찰사 발리냐노와 시마바라의 봉기총대장 아마쿠사 시로의 사진이 우리를 맞이하는 전시관은 2파트로 나뉘어 있었다. 1 전시실은 크리스트교의 번영 위주로 구성되어 당시의 남만 의상, 히노에성에서 발견된 금박 기와와 도자기 등이 있었다. 2전시실은 기리스탄 탄압 및 시마바라, 아마쿠사의 봉기 내용이 주를 이루었다. 특히 터만 남은 하라성에서 발견된 당시 봉기군의 유해물 중 뼈에 선명하게 남아있던 칼자국은 막부군의 잔인한 탄압 흔적을 여실히 보여주어 안타까웠다. 12만 명의 무장한 막부군에 맞선 37,000명 봉기군의 전쟁을 보여주는 미니어처와 '구조니(당시 반란군 이 하라성에서 농성할 때, 성내에 남아있던 부실한 식재료들을 한데 모아 넣 고 국물로 끓여 먹었다는 시마바라의 전통음식)'점심식사를 통해 당시의 열악했던 신앙과 가난한 삶을 짐작할 수 있었다.

2) 운젠 지옥계곡

고온의 유황 증기와 끓는 온천수가 솟아올라 마치 지옥불처럼 여겨진다 해서 지옥이란 이름이 붙었다는 운젠은 1614년 금교령 발 표 이후 1627년부터 1632년 무렵까지 선교사 추방 및 신자 색출을 본격화하여 나가사키 지방의 기독교인을 고문하고 배교를 유도하 는 장소로 악명이 높았다. 칼로 상처 낸 몸을 끓는 온천수에 담가 화상을 입히거나 유황 증기 속에 장시간 노출시키는… 현재 운젠 계곡 주변에는 기념비, 십자가, 순교자 추모비 등이 세워져 있다.

우리가 방문한 날은 엄청난 비바람과 유황 냄새 등으로 인해 순 교자들이 겪은 어려움을 조금이나마 추측해 볼 수 있는 계기가 되 었다.

3) 나가사키 일본 26성인 순교 기념관

나가사키 26성인 순교(1597년 2월 5일)는 일본 역사에 남아있는 기독교 박해의 대표적인 사건 중 하나이다. 26명의 기독교인들(3명의 어린 소년을 포함한 20명의 일본인, 6명의 외국인 선교사)은 단지 예수 그리스도를 믿었다는 이유로 체포된 후 엄동설한에 코와 귀가 베어진 채 교토에서 나가사키의 고노가세산까지 800여 킬로미터 거리를 조리돌림당하며 이송된 후 십자가에 처형되었다. 처형 후 그들의 시신은 기독교의 확산을 막도록 공공장소에 전시되었다. 일본 막부는 기독교 순교자들의 유해가 성물(성인들의 유물)로 추앙받을 것을 우려하여, 순교 후에 시신을 훼손하거나 불태우고, 그 유해를 여러 곳에 분산시켜 매장하였다. 이로 인해 얼굴 무덤(두개골을 묻은 곳)과 몸 무덤(신체의 나머지 부분을 묻은 곳) 같은 형태가 생겨나기도 하였다.

순교자들은 기독교 신앙을 부인하지 않고 자신의 믿음을 증언하며 순교하였고, 이들은 1862년, 교황 비오 9세에 의해 성인으로 시성되었다. 순교자들의 생애와 그들이 겪은 박해의 과정을 보여주는 이 기념관은 유네스코 세계문화유산으로 지정된 나가사키의 기독교 유산의 일환으로, 일본 역사에서 순교자들의 믿음과 기독교의 중요한 역할을 기리고 있다.

4) 타비라 성당

나가사키현 히라도 시에 위치한 타비라 성당 주변 지역은 가쿠레 기리시탄(숨은 기독교인)이 많았던 곳으로, 250여년의 박해 시대

동안 몰래 신앙을 지켜왔던 곳이다. 메이지 유신 이후 기독교 금지령이 해제되면서 신자들이 공식적으로 신앙을 회복할 수 있게 됐고, 그 결과 붉은 벽돌의 타비라 성당이 로마네스크 양식으로 세워졌다(1918년). 성당 주변 마을이나 공동묘지 등에는 여전히 '숨은 기독교' 흔적들이 남아 있으며, 금교령이 해제된 뒤 핍박의 땅에서 다시 지어진 교회로서 상징적 가치가 크다.

5) 히라도 야이자 사적공원 순교비

히라도 대교와 해협을 바라보는 언덕에 위치한 이곳은 카밀로 콘스탄조 신부의 순교 현장을 기념하는 장소로 조성되었다. 이탈리아 출신의 예수회 선교사였던 그는 1605년에 입국하여 복음을 전하다가 1614년에 도쿠가와 막부의 금교령으로 마카오로 추방되었으나, 1621년 다시 일본에 몰래 들어와 히라도 일대에서 선교활동을 펼치다 이듬해에 체포되어 이곳 야이자 언덕에서 화형당해 순교하였다. 순교의 순간까지도 그는 일본어와 포르투갈어로 하나님의 말씀을 전했다고 한다.

2. 느낀 점

1) 모진 박해를 당한다면 과연

당시 막부는 포교 활동을 억제하기 위해 선교사들에 대한 추방과 체포, 일반 신자들에 대한 처형, 후미에(신상을 밟는 의식)를 통한 기독교 신앙의 배반 여부 확인, 자발적 배교와 개종 강요, 지역 주민 간 감시 체계(사람들을 5가구 단위로 묶는 '고닌제'), 간첩과 밀고자 활용 등 다양한 수단을 사용하였다.

과연 나라면 그런 상황에서 내 신앙을 끝까지 지킬 수 있을까? 편안한 일상을 살아가는 나에게 이 질문은 결코 가볍지 않았다. 갑자기 그동안 별 감흥 없이 불러왔던 찬양의 가사가 떠올라 반성하였다.

> 그러므로 나는 사나 죽으나 주님의 것이요 사나 죽으나 사나 죽으나 날 위해 피 흘리신 내 주님의 것이요…

일상적인 나의 생각과 행동 중에도 마치 후미에를 밟는 것 같은 경우가 있을 것 같아 경각심이 들었다. 북큐슈의 성인 순교자들은 오늘 대한민국에서 살아가는 나에게 '믿음'과 '순교'가 무엇인지를 다시금 생각하게 하였다.

2) 인간 잔인성의 끝은 과연

본보기 처벌로 신앙 확산을 억제하기 위해 다양한 유형의 박해가 이루어졌다. 일본에서 행해진 강제 배교, 체포 및 고문, 간첩과 밀고자 활용, 숨은 신자/가쿠레 기리시탄의 감시, 공개 순교 등은 로마의 잔혹행위(원형경기장에서 맹수의 밥이 되게 하기, 십자가형, 화형, 참수형, 고문과 투옥, 죽을 때까지의 강제노동, 우상숭배 강요, 공개 조롱과 공개 채찍질), 나치의 600만 유대인 가스 학살과 시체 태우기 등과

오버 랩되었다. 성령 하나님의 도우심이 없을 때 인간이 얼마나 잔인하고 폭력적일 수 있을지 두려웠다

3) 가쿠레 기리시탄의 삶은 과연

가쿠레 기리시탄. '잠복 크리스천', '숨은 기독교인'이란 뜻으로서 일본에서 기독교가 금지되었던 기간(17세기~19세기)에도 숨기면서 신앙을 지켜온 사람들을 말한다. 북큐슈 지방은 특히 잠복 크리스천들이 많았던 중심지 중 하나로, 여러 섬과 외딴 마을에 신자들이 모여 숨어서 믿음을 이어갔다. 포교 활동이 금지된 상태에서 250년 동안이나 비공식적이고 은밀한 방식(십자가가 그려진 보살 성인상 그림, 중국풍의 석상 마리아 관음, 당삼채와 유사한 채색과 기법을 보인 성모자상 등)으로 신앙을 전파·공유해온 이들의 인내와 지혜가 놀라웠다. 그러나 선교사 부재 기간이 길어지고 교리가 불명확해지면서 불교나 신도와 융합 공존하는 경향을 보인 점은 바른 믿음의 전수가 얼마나 중요한지를 깨닫게 해주었다.

일본 가쿠레 기리시탄들의 삶을 접하며 대학교 시절에 읽었던 엔도 슈사크의 『침묵』이 떠올랐다. '침묵'은 신앙, 인간적 약함, 고통의 의미를 묻는 작품이다. 신앙을 끝까지 지키는 것이 진정한 믿음인가? 사랑하는 사람들의 고통을 끝내기 위해 신념을 꺾는 선택은 배신인가, 희생인가? 이러한 질문을 던지며 깊은 성찰을 요구하는 이 책을 다시 한번 읽어봐야겠다.

4) 선교와 정치와의 관계는 과연

비록 선교사들이 선교를 목적으로 교육, 의료, 무기 기술 등의 교류를 도모하고자 했을지라도 그들을 파송한 유럽 국가들 특히 포르투갈, 스페인, 네덜란드 등은 순수한 신앙적 열정 이외에 정치 개입과 내정 간섭, 무역로 확보와 경제적 이익, 제국주의적 확장이라는 목적을 가지고 있었다. 마찬가지로 영주 중 일부도 서양 무기나 교역 이익을 얻기 위해 선교를 받아들이기도 하였다. 특히 일본 선교의 초기에 포르투갈과의 무역(특히 총포와 화약)은 큰 유인책이 되었으나, 도쿠가와 이에야스가 정권을 장악하고 막부를 세운 후에 기독교는 유럽 열강의 침략 가능성, 외세 개입과 사회 혼란을 야기하는 정치적 위협으로 여겨져 박해로 이어졌음을 알 수 있다.

결국 기독교인은 상황에 따라 피해자(일본)가 되기도, 동시에 가해자(유럽의 선교사 파송 국가)가 되기도 한 것이 아닐까? 신앙이 세속적인 목적을 도모하며 정치와 결탁하는 일은 과거뿐 아니라 극심한 좌파와 우파로 갈등하는 대한민국의 현실과도 연결될 수 있음을 기억하여 순전함을 유지해갈 수 있기를 간구해 본다. 또한 오늘도 척박한 선교 현장에서 헌신하실 파송 선교사님들의 어려움을 잊지 않고 기도와 후원을 계속해나가야 하겠다.

이번에 일본 북큐슈 지방 성지순례를 다니며 접한, 모진 박해 속에서도 믿음을 지킨 일본 기독교인들의 이야기는 나에게 신앙의 진정한 파워를 알게 해주었다. 또한 그들의 고통과 희생을 보며 나의 신앙을 돌아보는 계기가 되었다. 내가 약할 때 강함 되시는 주님을 신뢰하며, 성경 말씀을 되새겨 본다.

사람들이 너희를 끌어다가 넘겨줄 때에 무슨 말을 할까 미리 염려하지 말고 무엇이든지 그때에 너희에게 주시는 그 말을 하라. 말하는 이는 너희가 아니요 성령이시니라 (막 13:11)

그러나 끝까지 견디는 자는 구원을 얻으리라 (마 24:13)

손양원 목사님의 사랑

_ 장혜옥

사랑
참 사랑
큰 사랑
실천하는 사랑
능력을 발하는 사랑
손양원 목사님의 사랑

'사랑은 용서만 가지고서는 안 된다
품어야 한다'는 글을 읽었다
예수님의 사랑이 그랬듯
손양원 목사님의 사랑이 그렇다
아들을 죽인 원수를
예수님 사랑으로 품어
양아들로 삼다니…

나는 어떤가?

마음에 상처 준 사람

겉으로는 용서했다고 하면서

속으로는 경계하고 있지 않는가?

품어라~

오늘의 감동을

삶으로 빛내어 보자.

운젠계곡을 걸으며   _ 장혜옥

처음으로 밟아본 일본 본토
처음으로 직접 본 살아있는 화산지대 온천 분출 모습
요란한 소리와 함께 뿜어져 나오는 펄펄 끓는 뜨거운 물과 증기

그 소리는
순교자들이 이 땅에 마지막으로 외치는
"예수, 예수, 예수"
그 증기는
주님 향한 그들의 영혼의 외침
"다 이루었습니다"
"오 주여! 내 영혼을 받으시옵소서."

1627년부터 1634년까지
끓는 온천물로 많은 기독교인이
상상하기조차 힘들게 지독한 방법으로 고문당하고 처형된 이 곳,
운젠 지옥이라 불린다.

오 주여!
주님은 십자가를 지시고 골고다 언덕을 오르시고 처형당하시며

하나뿐인 생명을 우리 위해…

여기 순교자들은 운젠계곡 온천물 고문 속에서 처형당해 죽어
가며 하나뿐인 생명을 주를 위해…

그렇다면 남은 생을 나는 어떻게 살 것인가?

비바람에 우산이 뒤집히고 바지와 운동화가 다 젖었어도

조용히 걸었던 운젠계곡길은

지옥이 아니라 은혜였소.

복된 여행, 금빛학교 탐방   _ 전건우

기다리고 기다리던 금빛학교 탐방의 날이 밝았다.
수학여행을 떠나는 어린 학생의 심정으로 집을 나섰다.
7, 80대의 구부러지고 절룩거리는 학생들이지만
잘 나가던 옛날의 자태를 드러내고픈 심정인 양
빨강, 노랑, 알록달록 그 나름대로 멋을 가득 부린 모습들이다.

평소 "나는 못 가" "다리도 아프고 숨이 차서" 입에 달고 살던 말도
잊어버렸는지 안 하는 건지 그 높이 있는 출렁다리까지도 다녀온
할매 할배 학생 선수들!

촐촐한 배를 몸에 좋다는 약초 나물과 육미로 채우니
힘이 불끈 솟아나듯 행복했던 식사 시간
손양원 목사 기념관에서 귀 어두운 학생들 잘 들으시라고
목청 높여 설명해 주던 고마운 해설사의 봉사 정신에 우리는 감사의 박수를 보냈지요.
인증 사진 촬영 때는 좀 더 멋지게 보이려고 연기자같이
표정 짓던 할매 할배들…

그래서일까?

사진 콘테스트에서 우리 양선반 학생이 금상을 받았으니 자축연이라도 열어야 할 것 같다. 돌아오는 버스 안에서 한 곡조 빼 볼 사람 손드시라고 하는 진행자의 질문에 관심 없는 척하다가도 시켜주니 모두가 가수이고 명창이었네!

출발부터 도착까지 일일이 챙기고 돌보아주신 선생님들의 수고에 그저 고맙고 감사할 뿐이었던 탐방의 여정!
이 모든 것이 주님의 은혜이고
믿는 자의 복이 아니고 무엇이겠는가!

무르익어 가는 봄날에 울긋불긋 물든 산천을 바라보며 창조주 하나님의 크신 사랑을 다시 한번 깨닫게 해준 감사했던 탐방길!

군함도를 바라보며   _ 전건우

멀리서나마 군함도(하시마섬)를 바라보며 마음이 아팠다. 분노가 끓어 올라왔다. 조선인 수백 명이 영문도 모른 채 이 섬으로 끌려 와 해저 1,000미터의 탄광 갱도에서 고통을 참아내며 석탄채굴 작업에 강제 동원되었던 우리 역사를 알고 있었기 때문이다.

그런데도 일본은 조선인 강제동원의 역사적 사실을 무시한 채, 높은 연봉에 일본 최초의 콘크리트 고층아파트가 들어섰던 일본 근대화를 상징하는 곳이라 홍보하며 군함도를 메이지 산업혁명 유산으로 세계문화유산에 등재시켰다는 사실이 얄밉기 짝이 없는 처사라고 생각되었다.

이웃나라인 일본을 과거의 역사적 감정만으로 배척할 수는 없지만, 일본이 자신들이 저지른 만행에 대해 진정어린 반성과 사죄의 모습을 보인다면 새 시대를 열어가는 동반 국가로서 함께 더 나은 세상을 향해 나아갈 수 있을텐데… 여전히 아쉬운 마음뿐이다.

금빛학교 졸업여행 _ 정옥조

4월 21일 첫째날

대구국제공항에서 17시 20분발 비행기를 탔다. 후쿠오카공항에 도착하니 18시 05분이다. 비행기가 이렇게 빨리 도착할 줄 몰랐다. 우리 일행은 버스를 타고 가이드님 인솔하에 저녁식사가 마련된 식당으로 갔다. 우리가 좋아하는 초밥, 대하구이, 튀김, 우동, 샐러드라 거부감 없이 맛있게 잘 먹고 숙고인 후쿠오카 베스트웨스턴 호텔로 갔다. 화려하고 전망 좋은 숙소는 아니어도 정갈하고 깨끗했다. 짐을 풀고 하나님께 감사기도 드리고 편안한 숙면을 했다.

4월 22일 둘째 날

호텔 조식 후 구마모토로 이동하여 페리를 타고 시마바라로 갔다. 잉어가 헤엄치는 무사마을이라고 소개를 받았지만 잉어가 그리 많지 않아 조금 실망했다. 일본 무사들이 살던 이 마을이 양반 부자마을이라고 했는데, 사람은 구경하지 못했다. 죽은 마을 같았다. 그래도 꽃들은 예쁘게 피어 우리를 반겨주었다.

시마바라의 전통음식, 떡국 같은 구조니로 점심식사를 하고 우리 일행은 아리마 크리스천유산 기념관에 들렀다가 운젠으로 이동하였다. 카톨릭 신자들의 고문과 처형 현장, 화산 폭발로 마을이 묻혀버린 현장… 운젠지옥계곡 순례길을 따라 걸었다. 그날따라

비바람이 몰아쳐 우산은 뒤집어지고, 옷은 비에 젖어 정말 지옥 가는 느낌이 들었다. 그래도 우리는 십자가가 우뚝 서 있는 곳까지 무사히 잘 다녀왔다. 승리한 기분이 들었다.

유카이 온젠 동양관에 체크인한 후 저녁을 맛있게 먹고 온천욕을 하고 나니 오늘 하루도 무사히 지켜주신 하나님께 감사했다.

4월 23일 셋째 날

오늘은 호텔조식 후 나가사키로 이동하는 날이다. 가는 도중에 차를 세워놓고 군함도를 보았다. 영화 개봉과 함께 떠들썩했던 그 군함도라 하여 관심 있게 보았다. 자의였든 타의였든 우리 선조들이 이곳에 와서 얼마나 고생을 했을까 생각하니 마음이 먹먹하였다. 인터넷을 찾아보니 모든 것이 상세하게 나와 있다. 요즘은 모르는 것이 있어도 다 알려주는 인터넷이 있어 참 좋다.

이어 원폭자료관에 가서 목말라 타죽어가는 이들의 사진도 보고, 세계 평화를 염원하는 평화공원에도 갔다. 우리나라에서 세운 기념비도 있었다. 다음엔 1597년에 26명의 카톨릭 신자들이 순교한 순교기념관을 방문했다. 너무나도 처참하게 순교하신 것을 보니 마음이 숙연하였다. 다시 이마리 오카와치야마 도자기마을로 이동하여 전시된 작품들을 둘러보았다. 조그만 가게에서 생활도자기를 팔고 있었지만 값이 너무 비싸 구경만 했다. 심수관을 비롯, 우리나라 도공들이 일본으로 끌려가 도예촌을 만들게 된 이야기를 들으며, 일본에서는 어떤 일이든 자기 분야에서 최선을 다하면 인정과 보상을 받는다는 말에 부럽다는 생각이 들었다.

우리는 히라도 대교를 건너 유네스코 잠재 목록으로 등록된 타비라 성당에 갔다. 신자들의 손으로 직접 만들었다는데 붉은 벽돌로 아름답게 지어져 있었다.

오늘도 무사히 일정을 마치고 유카이 히라도 란푸 호텔에 짐을 풀었다. 온천욕까지 마치고 나니 피로가 말끔히 씻기었다. 오늘도 하나님께 감사!

4월 24일 넷째 날

호텔에서 조식을 마치고 후쿠오카로 이동하여 시민들의 안식처, 오호리공원 안의 일본정원을 둘러보았다. 공원이 예쁘게 조성되어 있어 관람하는 동안 마음이 즐겁고 편안한 휴식을 취하며 사진도 많이 찍었다. 다음에는 생필품과 건강식품 위주의 쇼핑몰과 대형 쇼핑몰에 가서 이것저것 구경도 하고 사기도 했다. 일본이 만화로 외화벌이를 톡톡히 했다는 가이드의 설명에 걸맞게 거대한 로봇이 서 있었는데 이름이 건담이라고 했다. 그 앞에서 단체 사진을 찍느라 키가 큰 담임목사님은 무릎까지 꿇어야만 했다. 감사했다.

공항으로 이동하여 우동을 먹었다. 일본을 상징하는 음식답게 맛있었다. 비행기에 탑승하니 그제서야 금빛학교 졸업여행을 마치는 실감이 났다.

매 순간 우리를 보호해주시는 하나님의 손길을 느끼며 편안하게 돌아왔다. 기적 같은 금빛학교 졸업여행, 잘 다녀왔습니다!

우리만 아는 여행 에피소드

달리는 고속도로에서 생리현상이 일어났지만 거기서도 피할 길을 찾아 해결한 이주옥 권사님, 식사 중에 뜨거운 된장국을 쏟았어도 털끝 하나 상처입지 않으신 김형은 집사님, 그리고 일본 공항에 가방을 남겨둔 채 떠나왔지만 가이드를 통해 무사히 찾으신 공영권 장로님…

이 모든 것이 하나님의 은혜요, 성도님들의 중보의 힘이었음을 고백하며 감사를 전합니다.

제3장 금빛학교를 둘러싼 일상

길을 걷는다　　　　　　　　　　　_ 강남출

길을 걷는다
오라 하는 이도 없다
기다리는 이도 없다
그러나 걷는다
그런데 등 뒤에서 떠미는 소리가 들려온다
돌아보니 세월이와 나이가 속삭인다.

나이가 세월에게 묻는다
"요사이 지내기가 어떠하냐?"
"나는 추위도 더위도 세상이 요란해도 가만히 있으면 지나간다
그런데 나이 너는 어떤데?"
나이가 대답한다
"나는 좀 힘들다. 한 사람에게 하나만 먹여 주어야 하는데
동지도 있고 양력설도 있고 음력설도 있어 몹시 힘들어."
그러면 이제 우리들이 의논해서 한 개씩만 먹자. 한 개씩만 먹는
거야."

올해에도 나이 한 개를 먹었으니 나는 이제 몇 살인가?
그래도 평안하다.

오늘은 뜻깊은 3월 1일 _ 강남출

세월의 일기는 예정이 없이
비와 바람, 눈까지 오고 불고 날리니
좋으면서도 이상야릇한 느낌이다.

비는 촉촉함이요
바람은 모든 것을 움직이게 하고
눈은 세상을 깨끗하게 한다며 자랑한다.

변함이 있으려나 하는데
이튿날은 눈이 녹으니 여지없는 눈물이네.

봄이 오나 보다
만물이 소생하는 시작의 힘이로구나.

그러나 늙어가는 인생들은 어떠한고
기쁘면서도 한심함에 노랫소리 연약해지니
꺼져가는 가느다란 신음의 소리
오 주님이여 나에게 새 힘 주소서.

모래알

바다가 그 작은 모래알이 모여서 광장을 만들어
파도가 밀려오면 방파제 역할도 하고
많은 사람의 즐거운 놀이터로 만들고
모래알이 한 알 한 알 모여서 뭉치면 사람들의
행복한 집을 지어주고 높은 빌딩도 지어서 많은
사람들의 즐거운 일터를 만들고
그래서 너는 햇볕이 쨍쨍 쬐이면 반짝반짝
빛을 내며 뽐을 내는구나.

보고 싶은 엄마

_ 권성련

비가 올 듯 말 듯 우중충한 날씨
TV를 켜니 어느 사진작가가
50년 동안 부산의 옛 모습을 찍은
사진 전시회를 소개한다.

"하야리라" 미군부대 그 자리에
시민공원이 들어선 광경
미군 부대 이름은 익히 들어왔다
엄마의 얘기
입담 좋은 엄마의 재미있던 얘기를 다시 듣고 싶다
오늘따라 엄마가 그리워진다. 어디에 계실까?
이야기 나누고 싶다.

"하야리라" 부대 주변에서 먹고 살았던 주민들의 이야기
그곳에서 전도사님으로 전도한 사람들 이야기
엄마가 보고 싶다
가슴이 뭉클하다.

천국 가신 엄마는 이렇게 막힌 담이었던가
두드려도 외쳐도 찾아도
보이지도 열리지도 않는 높은 담이란 말인가.

봄이 왔어요 _ 김금이

창문을 열면 소나무가 한들 춤을 추고
밖에 나가면 알록달록 꽃들이 춤을 추네
집 가까이 파티마병원에 가는 사람도 많고
다들 무슨 일이 그리 많은지 바쁜 사람뿐인가 봐요.

어느 날 이웃 친구들과 쑥 뜯으러 갔어요
쑥을 많이 캐고 점심도 먹었어요
집으로 가려고 오르막을 오르는데 미끄러지고 또 미끄러져
친구를 불러 잡아달라고 했어요
아마 쑥을 캐느라 힘이 몹시 들었나 봐요.

오늘 쑥 캐러 나가보니
경치도 좋고 공기도 좋았어요.

쑥을 캐고 뜯느라 힘들었지만
쑥떡을 만들어 여러 사람과 나눠 먹으니 참 좋았어요
봄에만 맛볼 수 있는 정을 함께 나누었어요.

작은아들에게

_ 김기숙

머나먼 이국땅에서 가장으로서
자녀들과 가정을 이끌어가면서 고생이 많지?
이곳은 다 잘 지내고 있단다.
직장과 가정, 또 교회 일까지 감당하느라 많이 힘들겠지.
그러나 배후에는 하나님이 함께하심을 잊지 마라
아빠와 엄마도 늘 기도하고 있다.
늘 건강하게 잘 지내기를 바란다.

나이

_ 김말련

먹어도 먹어도 배부르지 않네.

나면서부터 지금까지 쉬지 않고 열심히
쓴맛 단맛 골고루 다 먹어 왔는데
아무런 도움이 되지 않는구나
아무리 먹어도 배는 부르지 않고 허기만 지는구나.

나이야!
너를 자꾸 먹어야 하는 게 너무 슬프고 힘에 겹지만
그래도 나 혼자서는 갈 수가 없으니
우리 아버지 하나님께서 오라고 부르시는 그 시간까지
허기진 가슴을 쓸어내리며 우리 함께 가보자
함께 말이야.

힘

_ 김말련

힘아!
너 어디로 갔니?
네가 없어서 내가 많이 슬프단다.

힘아!
네가 없으니 내 다리가 자꾸자꾸 휘청거리고
제멋대로여서 주저앉아 버릴 것 같구나.

힘아!
돌아오라 부르고 찾아도 대답조차 없으니 어떻게 해야 하나
네가 없으면 나는 아무것도 할 수 없단다.
너의 빈자리에 쥐(근육강직)라는 고약한 놈까지
나를 괴롭히는구나.

힘아!
네가 이렇게 소중한 줄 모르고 오늘까지 살아온 내가
참 미안하구나
제발 이제 남은 작은 힘, 너라도 나와 함께 있어다오.
부탁한다 힘아!

지난 세월 돌이켜보니 _ 김명자

    지난 세월 돌이켜보면 좋은 집안에 시집 와서,
아들딸 낳고, 성실한 남편과 잘 살아온 것 참 감사한 일이다.
자녀들 결혼시켜 잘 살고 있고,
물론 남편이 몇 년 전에 세상을 떠나긴 했지만
지금 내 삶은 그런대로 살 만하다.
어쩌면 너무나 자유롭고 편안하고, 최상의 삶을 누리는 건지도
모르겠다.

    하지만 나 자신의 삶에 대한 회한은 있다.
대다수의 사람들이 그렇겠지만, 너무 게을렀고 세월을 낭비한
것 같다.
지금도 그저 내 건강이나 잘 지켜
자녀들에게 폐 안 끼치는 것밖에는 큰 관심이 없는 것 같다.
뭔가, 할 일이 없을까?
보람 있는…

가을

_ 김성자

가을이다
노랑 빨강 파랑으로 물들어있는
잎새들이 너무 곱고 예쁘다.

달려 있는 잎들도, 땅에 떨어진 낙엽도
처다보고 만져보면서 내 소원을 빌어본다.

이 아름다운 계절에
내 마음도 곱디고운 단풍처럼
예쁘고 아름답게 물들어갔으면
찾아오는 많은 이에게
내 속에 들어있는 보화 예수님을 전할 수 있으면…

우리 아들

_ 김성자

우리 아들은 원주연세대학교 시설과에 근무한다
식구들은 서울에 있는데
주말부부이다
혼자 지낼 것 생각하니 맘이 아프고
왠지 더 보고 싶어진다
오늘도 전화를 하려다가 혹여 근무하는데
지장 줄까봐 참아본다
그래도 보고 싶은 마음에 이 엄마의
짝사랑은 발동한다.

사랑의 표현

_ 김순태

나는 사랑의 표현을 많이 못하는 것 같다
우리가 살던 세상에서는 좋아도, 싫어도 내색하지 않았다
세상이 그랬다
그런데 이제 세상이 바뀌었다.

하나님이 우리를 사랑하시듯
나도 가족과 친구와 교우님들을 더 사랑하고 싶다
더 많이 표현하고 싶다.

바다야 간다

_ 김윤남

어느 날 갑자기 바다가 보고 싶다 했더니
보고 싶으면 가자 했다
간단히 낚시 도구 챙기고
있는 밥과 김치 챙기고 가면서 돼지고기도 좀 샀다
그냥 바다로 갔다.

제일 가까운 감포에 갔다
와 바다다!
낚싯대를 던지는데 고기는 잡히지 않았다
바다만 보아도 좋았다
암이라는 소리를 듣고 모든 걸 내려놓았을지도 모른다.
마음이 약해지니 하나님을 찾아야 하는데,
가져간 고기 굽고 밥 먹으니 너무 맛있었다
물고기는 못 잡았는데 그냥 좋았다.

화마의 봄

_ 김윤남

며칠 전에 눈이 오고 춥더니

벌써 봄이 왔네

길가에 벚꽃들 활짝 피었네

멀리 가지 않아도 벚꽃 구경에 흥이 겨운 날이다

참 예쁘다

화재가 난 그곳에도 봄이 올 수 있을까

마음이 아프다.

같은 여름 다른 회상

_ 김장억

여름에 대한 회상

금년 여름은 유난히도 더웠다. '여름의 더위'라는 단어를 떠올릴 때마다, 과거 더위 속에서의 다양한 기억들이 회상된다. 같은 계절 이라도 그때마다 다르게 다가오는 여름의 얼굴들이 참 흥미롭다.

학창 시절의 여름

학창 시절을 떠올려 보면, 지금처럼 냉방이 잘되지 않던 시절이 라 부채와 선풍기가 유일한 더위 해소 도구였다. 견디기 힘든 날에 는 시원한 물로 등목을 하며 더위를 식히곤 했다. 나는 운동을 좋 아해서 여름의 땡볕 아래에서 야구와 축구를 즐기곤 했는데, 한바 탕 땀을 흘린 뒤 그늘에 앉아 마시던 수돗물의 청량감은 지금도 잊을 수 없다. 이 시절 여름 강도는 지금 생각해 보면 '하' 정도였던 것 같다.

군대에서 맞은 여름

1984년 7월 30일, 그날도 무더위는 대단했다. 입대를 위해 위병 소를 지나며 처음으로 짧게 깎은 머리와 하얀 귀로 햇볕을 맞았다. 강렬한 햇볕에 익어버린 귀는 진물이 나며 불편함을 더했다. 동료 들과 함께 여름의 강렬함을 이야기하며, 처음으로 화상 연고를 경험했다. 이처럼 나의 군대 생활은 정신없는 여름과 함께 시작되었다. 땡볕 아래 진행된 제식훈련과 총검술 훈련, 그리고 넓은 연병장에서의 일들은 더위와의 싸움이었다. 충분치 않은 물로 인해 동료들 간에 갈등도 있었지만, 점차 햇볕이 누그러질 때마다 시간의 흐름을 느꼈다. 그 시절 여름의 강도는 '중' 정도였던 것 같다. 그래도 그 당시의 모든 훈련과 경험은 멋진 추억으로 자리 잡고 있다.

해외에서의 첫 여름

전공 공부를 심화시키기 위해 처음으로 비행기를 타고 미국으로 향했던 7월, 한여름이었다. 새로운 문화에 적응하며 시행착오도 많았지만, 가장 힘들었던 점은 실내·외의 온도차였다. 실내 온도가 23℃로 유지되던 그곳에서 나는 냉방병으로 고생하기도 했고, 결국 실내에서의 옷차림에 신경을 쓰게 되었다. 그 여름은 나에게 '상'에 해당하는 더위 강도로 기억된다. 이 경험은 여름이라는 계절이 처한 상황과 배경에 따라 얼마나 다르게 느껴질 수 있는지를 알게 해주었다.

삶과 계절에 대한 성찰

여름이라는 계절은 모든 사람에게 동일하게 다가오지만, 이를 받아들이는 감각과 기억은 각자의 상황과 배경에 따라 달라지기 마련이다. 계절에 얽힌 경험은 삶의 다양성을 반영한다. 하지만 획일화된 교육을 통해 표준화된 사고를 주입받은 이전 세대는, 가난 속에서도 자녀들을 교육 현장으로 보내며 끊임없이 헌신했다. 그들의 뜨거운 교육 열정은 오늘날 우리나라가 세계무대에서 수위를 차지하는 데 중요한 밑거름이 되었다고 믿는다. 계절의 변화가 삶에 큰 영향을 주지 않는 것처럼 보일 때도 있다. 그러나 우리는 명확히 다음 세대에게 어떤 삶의 가치를 물려줄지 진지하게 고민해야 할 시점에 서 있다.

나의 마음

_ 김정옥

나는 꽃을 사랑하고, 꽃을 좋아한다
그런데 꽃은 피어날 때 좋은 모습이지만
시들어지면 미워진다
이것은 자연의 현상이지만
꽃을 사랑하는 나의 마음은 어떡하나?

무더운 여름이 간 곳 없이 사라지고
산천에는 울긋불긋 단풍이 든다
우리네 인생도 어느새
흰 눈이 내리듯
서산에 해가 지는구나
이것은 자연의 현상이지만
꼬옥 부여잡고 싶은 나의 마음은 어떡하나?

가을

가을이다
노랑 빨강 파랑으로 물들어있는
잎새들이 너무 곱고 예쁘다.

달려 있는 잎들도, 땅에 떨어진 낙엽도
쳐다보고 만져보면서 내 소원을 빌어본다.

이 아름다운 계절에
내 마음도 곱디고운 단풍처럼
예쁘고 아름답게 물들어갔으면
찾아오는 많은 이에게
내 속에 들어있는 보화 예수님을 전할 수 있으면…

서랍 속에 잠든 3색 볼펜

_ 김창길

서랍 속을 뒤지는데 3색 볼펜 한 자루가 눈에 띄었다. 하얀 종이 깔아놓고 나오는지 안 나오는지를 시험해보았다. 좌로 우로, 위로 아래로, 돌리고 돌리고, 낙서도 해보고 종이가 뚫어지기 직전까지 써보았다.

그런데 요놈이 잠든 지가 오래됐는지 조금 나오는가 싶다가는 다시 나오지 않고를 여러 차례 반복했다. 아마 서랍 속에 잠든 지가 오래된 것 같다.

볼펜을 보며 나 자신을 생각해 본다.
요즈음 나 역시도 기억이 깜박깜박
사람들의 이름도 잘 떠오르지 않는다.

볼펜도 계속 써야만 잘 나오듯이
나 역시 좋은 기억을 잃지 않도록 책도, 운동도 손에서 놓지 말아야겠다.

달리기

_ 김창길

건강을 위해 신천을 달려본다.

의욕은 넘치지만 금방 숨이 차오른다.

속도를 늦추어 본다.

뛰는 것이 아니라 걷는 수준이다.

다시 한번 용기를 내어 속도를 높여본다.

다시 또 숨이 차다.

죽을 지경이다.

참고 참았다.

다시 속도를 늦추어야 했다.

주변을 둘러보니 남녀노소 뛰는 사람들이 많다.

갑자기 어르신 한 분이 나를 앞질러 간다.

저분은 얼마나 오래 뛰었길래 저리도 잘 뛰는지 부러웠다.

또 한 분이 앞질러 지나간다.

젊은 사람이다. 너무나 잘 뛴다.

시간은 흘러가고 어느새 날이 어두워진다.

바쁜 마음에 속도를 한 번 더 내어 본다.

오른쪽 다리에 신호가 왔다.

쑤시고 아프다.
큰일 났다. 집에 가려면 아직 멀었는데…

참고 뛰었다. 통증이 왔다.
온몸이 땀으로 가득했다.
얼굴까지 화끈거린다.

산불

_ 김형은

웃는 날도 우는 날도
흰 구름 먹구름 지나가고
좋은 날도 나쁜 날도 지나가는데
웬 산불이 애간장을 녹이는지
또 산불이 웬 말인가
어제도 지나가고 오늘도 지나가네.

아침에

아침에 자고 나서 세면대 앞에 섰다
세수를 하려니 거울이 비쳐진다
어떤 노인이다
몸은 늙어 노인이 되었다
그런데 왜 마음은 늙지 않는가?

마음은 젊은 청춘인데
마음과 육체는 다르다
마음은 뜀박질을 하고 있지만
몸은 말을 잘 듣지 않는다
겨우 걸을 수밖에 없다.

나이 들면서 발걸음이 느려지는 것은
세월이 느리게 함께 가자고 부르는 초대다
이것이 세월인가 보다.

내 나이 팔십을 넘고 보니   _ 남수해

작년까지 내가 성경을 세 번 읽었는데
이젠 정말 안 보이네.
세 번 읽는다고 작심하고 기도해온 탓인가 보다.

병원에서 눈을 수술해도 안 된다니
그냥 사는 거지.
어깨도 다 낡아가지고 수술도 안 된다고 하고
아, 나는 이제 다 망가졌다.

하나님이 천국으로 오라 하실 때까지
그냥 살다 가는 거지.

성경이 눈에 안 보이니, 이젠 듣기라도 해야겠다.

다짐

_ 남수해

1.

근육운동 종아리운동

근테크운동

걷기운동

신체생활

공부를 하자

신앙생활 잘해야 한다.

2.

사람은 목표를 세워야 한다

자기 일을 생각해서 열심히 해야 한다

운동을 열심히 해야 한다

건강 위해 가정일도 열심히 해야 한다

집안일을, 청소 잘해야 한다.

가을과 엄마

산책길에 문득 하늘을 보니
높고 푸른 하늘이
안녕이라고 인사한다.

살랑 불어오는 바람에게
가을이니?
물어본다.

가는 곳마다 코스모스가 피어 있는 것을 보니
가을인가 보다.

넘실대는 가을꽃도
빨강 홍시도
알록달록 코스모스도
엄마를 더욱 그립게 한다.

옷소매에 시원한 바람이 들어오고
저녁 해가 서둘러 질 때면
더욱 엄마가 그립다.

그 언제쯤 엄마의
그리운 품속에서 벗어날까?

가을이 되면 울 엄마가 사무치도록
그립다.

손녀 사랑

_ 노용숙

아무리 쥐도 쥐도
모자라는 손녀 사랑

고사리손 내밀고
수줍은 미소 띠며
혀 짧은 소리로 이 할미를 부를 때
가슴은 뭉클, 온 세상이 환해진다.

아프지 않고 지혜롭게 자라게 해달라고
이 세상을 환해 밝히며 사랑받는 아이 되게 해달라고
새벽마다 기도드린다.

나 자신보다 더 귀하게 여겨
가슴 깊이 담아두고
나 가진 것 중 제일 좋은 것만 주고 싶은 마음

이토록 쥐도 쥐도
모자라는 손녀 사랑은
하나님이 내게 먼저 주셨던 그 사랑의 흘러넘침인가 보다.

아직도 세상엔
따뜻한 사람들이 많다 _ 노용숙

힘든 몸을 이끌고 팔공온천으로 향했다. 옆자리에 칠순은 훨씬 넘어 보이는 분이 나더러 너무 지쳐 보인다며 등을 밀어줄까 하시면서 호의의 손길을 내밀었다. 민망하지만 나는 할머니께 등을 맡겼다. 몇 해 전에 하늘나라 가신 친정엄마 손처럼 구석구석 얼마나 열심히 닦아주시는지 그만하셔도 된다 해도 "꼼꼼히 해야지" 하시면서 마무리를 지으셨다. 죄송스러운 마음에 바나나우유를 사드렸더니 너무 고맙다고 하신다.

"저도 등 밀어드릴게요." 했더니 괜찮다고 하시면서도 "살짝만 해" 하시며 등을 내미셨다. 아니 그런데 두 다리 무릎 모두에 수술 자국이 선명했다. "언제 수술하셨어요?" 했더니 45일 동안 한 다리씩 돌아가며 수술했다고 하셨다. 몸도 성치 않은 분이 자진해서 내 등을 밀어주시다니… 와락 눈물이 쏟아졌다.

"요즘 너무 힘든 일이 많아서 맘도 몸도 축 처져 있었는데, 할머니의 따뜻한 배려에 몸도 마음도 다 나은 듯합니다. 너무 감사해요, 할머니" 했더니 말도 너무 예쁘게 한다며 "그래 살다 보면 힘들 때 있지. 지나고 나면 아무것도 아니야. 그냥 흐르는 세월에 맡겨"라고 하셨다. "할머니 혹시 종교는 있으세요?" 했더니 "불교야" 하셨다.

그동안 무조건 다른 종교를 배척하려고 했었던 나 자신이 부끄러워졌다. 오늘은 할머니 덕분에 눈물 콧물 번갈아가며 한참을 쏟아냈다.

　아직도 세상에는 참 따뜻한 사람들이 너무 많다.

꽃보다 예쁜 나의 엄마 _ 서명신

꽃보다 예쁜 나의 엄마는
작년 12월 6일에 예수님 곁으로 가셨다.

평소에도 꽃과 화분을 정성껏 가꾸셨던 엄마
난 엄마가 정성껏 꽃을 만지실 때마다
"엄마가 이 꽃들보다 더 예뻐요"라고 말했다
엄마는 빙그레 웃으셨다
그럴 때 엄마는 꽃보다 더 예뻤다.

내가 막내라서 그랬을까?
애처로워 보여서 그랬는지 나를 더 아끼고 사랑하신 것 같다
이제는 엄마가 천국에 가셔서 볼 수는 없지만
내 마음속에 엄마는 영원히 살아계신다.

엄마가 보고 싶다
"엄마, 엄마가 나의 엄마여서 참 고맙습니다
사랑합니다. 존경합니다."

꽃보다 예쁜 나의 엄마
고 박순향 권사님

손자

_ 손부호

우리 손자가 하사관으로 입대했다
너무 마음이 아프고 안타까웠다
지금은 우리나라를 든든히 지키는
공군 상사로 근무 중이다.

전화가 왔다
"할미 내 교육 받으러 대구에 왔다"
"그래, 주말에는 집으로 오너라."

기다리던 주말, 저녁 밥상을 물린 뒤
"할미 내 대학원에 입학했다"
"그래 그래"
나는 너무 고마워 눈물이 났다
어려운 형편 속에서도 건강하게 자라주어
고맙고 감사하다.

하나님이 이 할미의 간절한 눈물의 기도에
응답하신 걸 안다
진심으로 감사하다.

꽃님이

_ 양숭자

꽃님아
세상에서 제일 예쁘고 아름다운 꽃, 꽃님아

네가 태어날 때
이 할매는 마음대로 불러보았다.
하나님, 임금님, 목사님, 선생님…

네가 살아갈 세상이 그리 순탄하지만은 않겠지만 그래도
늘 기도하고
남을 돕고
하나님 말씀 전하고…

훌륭한 사람이 되렴
세상에서 제일 존경받는 님이 되려무나.

싸우자 바보야

한 그루 감나무에 대롱대롱 감이 매달려 있다
매달린 감이 건방지게 말을 한다
"홍시야 너 바닥에서 뭐 하나?"
홍시도 한마디 거든다.
"너도 곧 떨어질 거야. 기다려."

하루, 이틀 며칠이 지나고
매달린 감이 혼잣말을 한다
"왜 힘이 없지? 근육이 빠졌나 봐"
홍시가 대꾸한다
"감아 너도 곧 나처럼 떨어지게 된단다."

"아니야. 난 너처럼 못생기게 안 떨어질 거야
그리고 땅에 떨어지는 건 무서워"
하하하 홍시가 큰 소리로 웃으며 대답한다
"난 떨어지고 싶어 떨어졌겠냐?"

어어이 철퍼덕

매달렸던 감은 자신이 홍시와 한 나무에서 붙어있었다는 걸
떨어지고서야 알게 되었다.

그래서 감-홍시라고 한다.

치매

_ 육정희

아픈 병이다
슬픈 병이다
뇌가 없어지고
내가 없어지는
불쌍한 병이다.

88세 우리 엄마도 치매
그렇게 애기가 되어버렸다
아무리 그렇지만
이리 보아도 우리 엄마
저리 보아도 우리 엄마
우리 엄마가 틀림없다.

이래 보아도 내 딸
저래 보아도 내 딸
어느새 엄마가 돼 버린 내 딸

하얀 거짓말

_ 윤준자

얼마 전 아무런 부담감 없이 하얀 거짓말을 했다.

1.
내당동에 사시는 셋째 언니의 지금 좀 올 수 있느냐는 전화에, 이불 빨래한다고, 못 간다고 거절했다. 하얀 거짓말이었다. 사실 빨래를 하려고 생각을 했는데 피곤해서 다음날 하기로 미루고 쉬고 싶었다.

2.
한참 후 전화가 또 왔다. 빨래 다 했냐는 질문에 "응, 다했어." 지금 뭐하느냐는 질문에 잠잔다고 또 태연히 하얀 거짓말을 했다.

남/이웃에게 부당한 손해나 상처를 주지 않으면 괜찮다는 내 작은 생각에 갇혀, 하나님은 정직과 진실을 원하시며 찾으시는데 나는 편안하길 바라며 부딪치는 순간을 피하기 위해 하얀 거짓말을 늘어놓은 흉한 모습이 되어있었다. 진리의 말씀 대신 하얀 거짓말을 내 머리에 타는 숯처럼 쌓아놓은 셈이었다.

하나님 아버지의 정직한 영을 내 마음 안에 가득 채워 하얀 거짓말에서 자유케 되길 기도한다.
하나님 도와주시옵소서. 그리고 용서해주시옵소서.

단풍

_ 이명화

가을이면
단풍이 물드네
노랗게
빨갛게
정말 이쁘네.

하나하나 보면
다 흠이 있네
찢어진 것, 벌레 먹은 것, 얼룩진 것, 상처 난 것…
그럼에도 함께 붙어 있어
하나로 어우러져 있으니
저리도 예쁘고 아름다워라.

우리들도 그렇다네 .

막내딸

_ 이송자B

3년 전 낙상사고
84세 인생 처음 병원 신세
면회 안 된다 해도
하루 3번 꼬박꼬박 몰래 와
챙기던 막내딸

항상 고마운 마음
말로 표현하지 않아도 알지?
고맙다 막내딸아

요일 요일

_ 이송자B

일월화수목금토

요일 요일이
빠르게 지나간다.

봄바람 따라온 산불들도
빠르게 지나가면 좋겠다.

몸 고되고 힘든 일, 생각들도
요일 요일 지나가리라.

일월화수목금토

연립주택 40호

_ 이순조

60년대 후반 아무 가진 것도 없이 대구라는 도시로 무작정 이사를 했다.

십 년 동안은 좋은 사람들과 이웃을 만나 집 없는 설움 같은 것은 모르고 잘 살아왔다. 십 년을 살다 보니 딸 셋을 주셨고 다섯 식구가 되었다. 경북대학교 근처 어느 집을 얻어 옮기기로 하고 짐을 챙겨 이사를 했다.

집주인은 학교 선생님이었고 대문간에 화장실이 딸려 있었다. 문을 열어보니 바닥에는 타일이 깔려있고 문 앞에는 얇은 슬리퍼가 놓여 있었다. 아주 깨끗했다. 그런데 이삿짐을 채 풀기도 전에 주인아주머니가 찾아와 속상해서 세를 못 놓겠다고 불평을 했다. 화장실 바닥에 흙이 묻었다는 것이었다. 신발을 신고 화장실에 들어가면 안 된다면서 앞으로 자신이 두 번 청소하면 한 번은 우리더러 했으면 좋겠다고 말하고는 가버렸다. 지금 생각하면 집주인의 당연한 부탁 같은데, 누가 그랬는지도 모르고 들은 소리라 얼마나 당황스럽던지 짐을 챙기다 말고 '아, 이 집은 우리가 살 집이 아니구나.' 생각하고 주인아주머니를 찾아가서 급하게 이사 왔더니 전세금이 부족해서 그러니 이사를 다시 가야겠다고 말했다.

주인은 사정이 그러면 그렇게 하라고 했다. 이튿날부터 대문이 따로 있는 집을 찾아 한 달여를 다녔으나 세놓는다는 집은 하나도 찾지 못했다. 어느 날 다니다가 지쳐서 높은 언덕배기에 올라가 동네를 내려다보니 참 많은 집이 있는데 어찌 우리가 들어가 살 집 한 칸이 없는지 정말이지 앞이 캄캄했다. 그리고 서글펐다. 힘없이 집에 돌아오니 우리 방은 들어올 사람이 계약하고 갔다고 했다.

세상에 이럴 수가… 그 밤새 우리는 다시 생각할 수밖에 도리가 없었다. 다시 주인을 찾을 수밖에… 우리는 방을 못 구했으니 그냥 우리가 살면 안 될지 부탁했다. 주인은 "우리야 살던 사람이 살면 더 좋지" 했다. 그날부터 아침마다 화장실 청소는 도맡아 하고, 저녁 퇴근길에는 자전거를 대문 앞에 세워두고 화장실 청소부터 해놓고 집으로 들어가곤 했다. 청소는 물로 먼저 깨끗이 씻고 마른걸레질을 해야 끝이 났다.

그렇게 열심히 청소하고 사는 동안 어느 때는 주인아주머니가 찾아와 "내가 두 번 하면 한번 하라 했더니, 매일 두 번씩 화장실 청소를 하면 어떡해요?" 말하면서 수시로 우유와 간식을 챙겨 오곤 했다. 정이 들었다. 그래도 우리는 틈나는 대로 이사 갈 집이 있나 하고 열심히 찾아다녔으나 갈 곳이 없으니 청소 열심히 하면서 살 수밖에… 물론 쉬는 날이면 집회장소나 기도처를 다니며 기도했다. 참 열심히 살았다.

그러기를 이 년이라는 세월 동안 그 집에 살면서 서로 친하게 지내게 되었다. 그러던 어느 날 대구시에서 산격동 외진 곳에 산을 밀고 서민을 위한 연립주택 40채를 지어 분양했다는 소식을 들었다. 그런데 교통이 불편하다는 이유로 미분양이 생겨, 다시 시에서 더 많은 융자를 해준다는 것이었다. 결국 아주 적은 입주비용만 내고 본인들이 수리해서 십 년만 살면 자신의 집이 되는 좋은 조건이었는데 금방 다 팔렸다고 했다. 며칠 뒤에 제일 끝 집, 40호가 급히 나왔다는 소식을 들었다. 이유는 구청 공무원인 형님이 동생 살라고 분양을 받았는데 동생네가 너무 멀어서 오지 않겠다고 해서 급히 새 주인을 찾는다는 것. 소식을 오후에 들었는데 문제는 그날 퇴근 전에 가야 계약이 된다는 것이었다. 소개해준 이는 우리더러 사면 어떻겠냐 했지만, 당장 손에 돈이 없었다. 어쩌지, 하며 발을 동동 구르고 있을 때 주인아주머니께서 몇몇 집을 다니며 돈을 빌려 왔는데 아뿔싸 이미 퇴근 시간이 넘어 버렸다. 그날이 8월 14일, 다음날은 광복절… 빌린 돈을 가지고 16일까지 기다리는 일은 마치 십 년같이 길었다. 16일 아침에 출근하자 계약을 하고 나오니, 몇 사람이 뒤에서 기다리고 있었단다.

그 집이 연립주택 40호다. 얼마나 좋았는지 모른다. 그런데 우리보다 주인아주머니가 더 좋아했다. 이 년 동안 살면서 어쩌나 정이 많이 들었는지 그렇게 무섭게만 여겨졌던 주인도 우리가 집을 사서 이사한다고 자기 일처럼 좋아했다. 이사 가는 날 뒤를 돌아보니 연신 손을 흔들며 눈물을 훔치고 있었다.

하나님은 그 집 화장실 청소를 통해 집의 소중함을 알게 하셨다. 또한 그 빚 갚느라 이사를 참 많이도 다녔지만 그래도 셋집이 아닌 내 집으로 옮겼으니 얼마나 감사한지 모른다. 그때 경험한 하나님의 은혜가 너무 커서 나는 지금까지도 내 집에 세 들어 사는 이에겐 사는 날까지 세를 올리지 않고 있다. '이제까지 지내온 것 주의 크신 은혜라' 찬송 부르며 살아온 모든 순간이 은혜이고 감사였음을 믿음으로 고백한다.

무서운 산불

_ 이연자

의성에서 시작된 산불이 영덕까지 태웠다
우리 둘째딸이 의성에 산다
불이 딸 사는 동네에까지 왔다고 한다
물을 뿌리고 대기한다고 한다
그 말을 들은 나는 아무것도 못 해준다
기도밖에는 해줄 것이 없다
나는 마음이 많이 아팠다.

그런데 불이 영덕까지 번져서
우리 삼촌 집과 복숭아밭도 태웠다고 한다
그런데 사람 마음은 간사하다
딸네 집 근처 불이 번졌을 때에는 마음이 아팠다
영덕 사촌 집과 밭은 모두 타버렸는데도 마음이 덜 아팠다.
나는 나 자신이 간사한 것을
회개하고 기도해야 한다.

나는 좋다

_ 이종말

나는 사랑하는 마누라가 있어 좋다
나는 건강하고 착한 아들이 있어 좋다
나는 예쁜 딸이 있어 좋다.

나는 지팡이 잡고 걸을 수 있어 좋다
나는 지팡이 짚고 교회 갈 수 있어 좋다.

교회 가면 언제나 하나님을 만나니 참 좋다.

좋기도 하고 싫기도 한 나 _ 이주옥

나는 무얼 하든 일단 시작하면 열심히 한다.
책을 읽을 때 끝이 알고 싶어 무거운 눈꺼풀을 꿈뻑이며
계속 읽는다.
넷플릭스를 볼 때에도 1.5배 속도로 줄곧 다음 화를 눌러댄다,
10편이건 50편이건….
먹을 때에도 남김없이 맛있게 끝을 본다.
이런 내가 싫지 않다.
좋다.

하지만 아들에게
높은 기대로 몰아붙이다 보니 칭찬이 적었다.
남편에게
이것저것 따지다 보니 잔소리가 되었다.
학생들에게도
한결같이 무서운 호랑이 선생님일 수밖에 없었다.
이런 사람도 꼭
필요하다고 주장하며 살아왔다.

이제 환갑을 넘긴 요즘

나에게는 사랑이었지만

그들에게는 간섭일 수 있었음을 안다.

남은 날들은 '과유불급'을 되새기며

남들에게는 봄바람처럼

나에게는 가을 서리처럼 살아가야겠다.

딸기 꼭지 작업

_ 이춘화

딸기, 너를 만나 작업한 지 십 년이 되었구나.
큰 딸기, 작은 딸기, 다이아몬드 째보 딸기까지…

너를 나눠 꼭지 따는 일이 쉽지만은 않다만
작업하지 않으면, 할 일 없이 지겨워서라도 해야 하고…
5키로 한 상자의 꼭지를 따봐야 고작 팔백 원이지만
또 먹고도 살아야 하고

딸기, 너와 나의 인연이 참 깊다.

부업 _ 이춘화

이 나이 되어도 나는 부업을 한다.
돈은 안 되도 지겹지가 않다.
볼 일이 있으면 안 해도 되고.

마늘 20키로 까야 오천오백 원
딸기 5키로 딱지를 따봐야 팔백 원이지만
덕분에 나는 건강을 누린다.
일하면서 귀에 이어폰을 꽂고 찬양을 듣는다.

건강만 하면, 두 손만 움직일 수 있으면
팔십도 구십도 나이 상관없다.

물밤, 마른 밤, 마늘, 딸기…
부업이 천지삐깔이다.

엄마가 뭔지 할미가 뭔지 _ 이혜숙

요즘 할미 육아를 하러 창원에 간다. 딸이 복직을 하면서 "엄마, 일 년만 서영이 봐 줄 수 있어?"라고 물었기 때문이다. 그래, 자주 있는 기회가 아니니 일 년 정도는 봐주기로 큰 맘 먹고 월요일 어린이집 하원부터 금요일 등원까지 봐주기로 했다.

월요일이 되면 딸이 좋아하는 걸 바리바리 싸들고 창원을 향한다. 도착하자마자 냉장고 정리에 대청소를 한다. 누가 그랬던가? 친정엄마는 싱크대 밑에서 쓰러진다고… 그래도 깨끗이 치우고 정리를 하고나면 내 마음은 깃털처럼 가볍다.

손녀를 데리러 가는 시간은 즐겁고 설레는 시간!
오늘은 서영이가 할미를 어떻게 반길까? 선생님 손 잡고 깡충깡충 뛰어오는 모습에 얼마나 행복한지 모른다. 나중에 용돈 안 준다고 서운해하지도 않을 것 같다. 어릴 때 이미 이같이 큰 웃음을 받고 있으니…

돌아오는 금요일은 늘 분주하다. 딸이 힘들까봐 온 집을 깨끗이 치우고, 잘 안 먹는 음식은 다시 챙겨오고… 물론 맛있게 잘 먹던 반찬들은 기억해두었다가 또 바리바리 챙겨 싸가겠지만 말이다.

내 딸이 이런 엄마의 마음을 알 수 있을까? 글쎄, 먼 훗날 제 딸 서영이를 시집보내고 나서야 줘도 줘도 더 주고픈 엄마의 마음을 이해할 수 있을 것 같다.

사랑하는 딸아! 응원한다. 파이팅!

인생

_ 임정태

엄동설한 지나면 양춘이 오고요
어두운 밤이 지나면 밝은 아침 오리니
이 세상을 다 지내면 영원한 천국 오리라.

추운 겨울 지나고 따뜻한 봄이 오니
개나리가 노란 꽃을 피우고
벚꽃은 하얗게 피고 지고 하더니 어느새
여름이 옵니다.

꽃들이 열매를 맺고요
하나둘 나뭇잎들을 떨구면
어느새 가을입니다.

우리 인생의 이팔청춘이 엊그제 같은데
어느새 백발이 되었습니다.

인생의 겨울이 어떨지는 모르겠습니다만,
우리 인생의 겨울은 틀림없이 천국으로 이어질 것입니다.

봄꽃

_ 임홍란

먼저 핀 노란 개나리
매서운 봄바람에 울상 지으며 떨어지고

나중에 핀 분홍 진달래
따스한 봄바람에 웃으면서 활짝 피었네.

나도 저 꽃들처럼 아름다우면
얼마나 기쁠까?

한 번만 아름답게 다시 피는 꽃
많은 사람이 즐거워하네.

형형색색 성격 다른 꽃들이
앞다투어 피고 지는 봄

봄, 감나무

길거리에 개나리가 활짝 피었다
봄이 왔나 보다
다음에는 무슨 꽃이 보일까
벚꽃도 필 것이고 목련도 피겠지
내 마음도 꽃과 같이 활짝 피면 좋겠다.

아름답다
우리 집 감나무는 언제 꽃이 피고
열매가 달릴까?
해마다 먹던 대봉 감말랭이가 생각난다
먹고 싶다. 기대된다
작년보다 많이 열리면 좋겠다
하나님 많이 열리게 해주세요.

가을 단풍

_ 장광익

'

오늘 팔공산에 갔더니 단풍이 너무나도 아름답다
여기저기 사진을 찍느라 분주하다
떨어지는 낙엽도 아름다웠다
우리의 삶도 낙엽처럼 아름다운 모습이었으면 좋겠다.

얼마 지나 다시 올라가 보니
나뭇잎이 낙엽 되어 다 떨어진다
낙엽을 밟는 소리 쓰럭 쓰럭
아름다웠던 모습은 다 사라지고
나무는 맨살만 남았다
쓸쓸하다
아름다운 모습은 내년을 기약한다.

믿음의 여행 친구

_ 장정기

바람 쐬러 한 번 안 가나?

가면 되죠! 어디로 갈까요?

알아서 해! 날 잡아서 연락해.

그러면 나는 그날부터 여행 계획을 짠다.

봄에는 남도 여행

제주도, 홍도, 흑산도, 임자도, 증도, 자은도, 12 사도 순례길 등등…

가을에는 단풍 여행

설악산, 대관령 안반데기, 정선, 삼척, 태백, 영월 등등…

내게는 10명의 믿음의 친구요, 여행 친구가 있다.

A 집사님은 운전을 안 하면 멀미가 심해서 운전 담당

B 장로님은 신곡을 USB에 담아와 분위기 띄워주는 오락 담당

C 장로님 부부는 집에 있는 거 가지고 왔다며 푸짐한 간식 담당

D 장로님 부부는 전국 우체국 수련원 숙소 예약 담당

J 권사님인 나는 일정 짜고, 예산 짜고, 차량 렌탈, 식당 담당…

그렇게 우리는 2박 3일 일정으로 여행을 떠난다.

객지에서 외로울까 봐

하나님은 내게 특별한 만남과 믿음의 여행 친구들을 주셨다.

여행은 어디로 가느냐가 아니라 누구와 가느냐가 중요하다 했다.

올해도 더 더워지기 전에 좋은 여행지를 찾아봐야겠다.

친정엄마

_ 장정기

친정엄마는 참 고우시고 예쁘셨다.

음식 솜씨도 좋으셨고 성격도 밝으셔서 많이 웃으셨다.

내 눈에는 지금도 우리 엄마가 할머니가 아니다.

연세가 들어도 엄마의 정신, 마음만은 늙지 않기를 간절히 바랐
는데…

엄마는 몇 년 전부터

젊은 날 모진 시집살이하신 게 상처가 되어

지금은 천국 가신 아버지께 미움, 원망, 분노를 다 쏟아내셨다.

엄마 그때는 시대가 그랬고, 그래도 엄마는 폭행은 안 당했잖아

하고 위로라도 하면

자식도 내 맘 모른다며

60년이 지난 일을 어제 일처럼 너무 생생하게 기억하고

그 원한을 풀 길이 없어 분노하신다.

엄마의 상처를 생각하면 마음이 너무 아프다.

외적으로 난 상처는 아물면 치유되지만,

말로 받은 내적 상처는 평생 안고 살아가며 치유될 수 없다는
것을 엄마를 통해 본다.

엄마의 아픔과 억울함을 하나님께 아뢰며 기도하고
믿음으로 이겨내실 수 있도록 도와달라며 기도한다.

엄마
이제는 엄마를 위해 다 털어 버리시고 엄마 좋은 것만 하세요.

나물

나물이 좋다

채소가 좋다

특히 생나물, 생채소가 좋다

배추, 무, 미나리, 부추, 유채, 양배추, 깻잎, 상치, 오이, 당근,

고추…

뭐든 깨끗이 씻어

싹뚝싹뚝 적당히 잘라 볼에 담고

마늘, 간장, 고춧가루, 설탕, 참기름, 깨소금…

갖은 양념 넣어 대충 섞으면 완성

밥 한 술 넣고

쓱싹쓱싹 비비면 최고의 만찬

세상 어느 고기 반찬이 이보다 맛있을까?

365일 먹어도 물리지 않는 생채소 비빔밥!

입이 즐겁다

소화하기 좋다고 위장이 웃는다

기름 찌꺼기 달라붙지 않아

대장은 더 좋아라 한다.

제3장 금빛학교를 둘러싼 일상   191

하나님 내려주시는 비라는 양식 먹고
푸릇푸릇 자란 건강한 채소
그것을 먹은 나도 건강하네
상쾌한 환경, 자연도 건강
모두가 행복하구나.

영상 통화

_ 장혜옥

보고 싶다
페이스톡을 누른다
우리 손자 이든이다
안아 달라고 팔 벌려
다가온다.

으앙~
껄떡껄떡 넘어가네
"엄마 안 되겠어. 다음에 또 해요 엄마"
끊긴 전화만 멍~하니
바라본다.

볼에 뜨끈한 것이 흐른다
이든아, 할미가
사랑해
한국에 오면 많이 많이
안아줄게.

가을

_ 장화순

어느새 반팔 옷이 긴팔 셔츠로 둔갑하고
우리 집 샤워장에 들어가면
따뜻한 온수물이 그리워지는 때가 되었네.

파란 풀잎이 황토밭으로
물들기 시작하고
꽁무니 빨간 고추잠자리
이리저리 바쁘게 날아가네.

나는 가을이 너무 좋다
노랗게 감이 익어가고
토실토실한 알밤도 진한 갈색으로 옷을 갈아입는다
오곡이 풍성한 가을날
금빛학교 학생 모두가 주님의 사랑 안에서
깨알 같은 감사의 열매를
주렁주렁 맺어가길
두 손 꼭꼭 모아 기도하니
내 맘 또한 풍성하네.

금수강산 대한민국

_ 전건우

나는 대한민국에 태어난 것이 자랑스럽다
사시사철 어느 때나 아름다운 우리나라
특히 봄과 가을은 나이 든 노인의 마음까지도 사로잡는,
말 그대로 금수강산이다.

올해 가을엔 팔공산 경관 도로 드라이브로 단풍 구경을
만끽했다
독일에서 여동생이 와서 구경시키느라 한 바퀴 돌았는데
금빛학교 충성반에서 막바지 단풍 구경을 놓칠세라
또 한 바퀴 돌면서 창조주 하나님께 감사하고
맛있는 음식까지 함께 나누고 나니 올 가을은
더욱 아름다운 가을이었던 것 같다.

세계 여러 나라를 여행해 봤지만, 우리 대한민국만큼 아기자기
하게 아름다운 나라는 별로 보지 못했다
남북통일이 되면 세계에서도 가장 아름다운
금수강산을 마음껏 올라가 볼 텐데……

하나님!

우리 민족을 어여삐 여기사 하루 속히

평화로운 나라로 하나 되게 하소서. 아멘

나의 할머니

_ 전건우

지금은 하늘나라에 계신 나의 할머니
생전에 이 손자가 찾아가면 "우리 대감 왔나"라고 하며
기뻐하시던 할머니!

시간이 나시는 대로 열심히 글을 읽으시고
밭에서 부지런히 일하시던 모습을 보여주신
보고 싶은 우리 할머니!

어느덧 내가 할머니 생전의 연세보다 더 살았지만
아직도 70년 전의 할머니의 손자로 돌아가고픈
그때 그 시절!

병상 친구

_ 전길숙

친구가 대학병원 중환자실에 입원했다
병원 신세의 시작은 골절이었는데
심장과 신장 모두가 나쁘단다.

면회도 할 수 없는 친구의 안타까운 소식을 들으며
오늘도 더 열심히 살리라
다짐해본다.

주의 긍휼 자비 사랑에 힘입어
친구의 쾌유를 간구하며
오늘을 살리라
더 열심히 살리라.

새싹

겨우내 죽은 것 같던
나뭇가지

새봄을 알리려고
눈을 뜨고
껍질을 벗고
새싹으로 나온다.

새봄을 알리려고
앞다투어 나온다.

신비롭다
그 모습이
너무 신비롭다
주의 손길이

200   금빛 인생

우리 채윤이

_ 정순남

채윤이는 우리 가정에 첫 손녀다
할머니 오늘도 채윤이가 부른다
어서 와 반갑게 안아주면
할머니 오늘 할머니 집에서 밥 먹고 갈 거야
채윤이는 할머니집에 오는 걸 너무 좋아한다
알았어 맛있는 거 해줄게.

채윤이는 짝믿음인 딸 가정에 하나님께서 선물로 주셨다
교회 나오지 않던 딸 내외를 교회에 나오게 하였다
유아부에 2년 다녔고 지금은 유치부에 다닌다.

주일 아침에는 오늘 교회 가는 날이야 하면서
엄마 아빠를 깨운다고 한다
얼마나 감사하고 대견한지

나는 지금도 하나님 섭리에 깜짝깜짝 놀란다
내가 알지 못하는 사이에 채윤이를 통해서
우리 기도에 응답해 주심을…

오늘도 나는 채윤이를 위해 기도한다
지혜롭고 건강한 아이로 잘 자라게 해달라고
하나님 감사합니다
우리 가정에 예쁜 채윤이를 보내주셔서…
할렐루야 아멘

제비꽃

_ 정순남

따뜻한 봄볕에
보랏빛으로 내려앉았네
아버지 무덤 곁에
소복소복 피어난 제비꽃

잊지 못할
따뜻한 사랑
그리움이
보랏빛으로 물든다.

아버지 닮은 제비꽃
새봄에 더욱 그립다.

그리운 어머니

_ 정은숙

그립습니다 어머니
리어카 끌고 가시던 그때가 생각납니다
아버지 유품으로 남기신 리어카에 손수 지으신 땅콩을 가득 싣고
집으로 오시던 그때가 기억납니다.

어찌 잊을 수 있겠습니까?
머리맡에 액자를 놓고 자면 꿈속에서
뵐 수 있을까요?
그리운 어머니
뉘엿뉘엿 지는 석양을 바라보며 생각합니다
나도 언젠가 어머니 곁으로 가겠지요
어머니 우리 그때 만나
못 다 쌓은 정을 다시 쌓아요.

산불

_정은숙

누군가
성묘하러 산에 왔다가
불을 놓았나 봐요
바람이 얼씨구나.
그 불을 옮겼어요
여기저기 번지고 퍼졌어요.

가지를 꺾고 물을 뿌리고
소방관이 화재 진압을 해도
소방헬기 여러 대가 동원되어도
불길은 단옷날 널뛰기하듯
이리 뛰고 저리 뛰고
점점 더 이 산 저 산으로
깊숙이 옮겨갔지요.

화마는 막무가내에요
집에도
자동차에도

문화재에도
교회에도 불을 놓았어요.

이제 폐허가 된 흔적만 남았어요
까맣게 타버린 산불에
까맣게 타버린 마을에
내 마음도 까맣게 타버렸어요.

다시 봄

_ 정화성

어머니 안 계신 엄마의 꽃밭에
모란 작약 싹이 튼다
다칠세라 조심조심 호미질하는데
흙마저 향기롭다
여린 순 밀어올리는 섭리의 손길!
당연하던 일상이 경탄의 시간이 됩니다
어김없이 찾아오는 봄이 축복입니다.

온기로 감싸고 바람으로 일깨우시는 하나님을 묵상합니다
허물어진 담벼락 밑 꽃밭 일구신 어머니,
자식들 꽃 피우기를 바라며 흙처럼 사셨지요
애끓는 마음 애틋한 손길의 흔적에 마음 사무칩니다.

보이지 않지만 보이는 하나님이 말씀하십니다
사랑이 구원이고 변하지 않는 진리라고

보고 싶어도 볼 수 없는 어머니의 기억이 나를 위로합니다
버겁고 지친 마음 쉬어가라고
꽃이 아니어도 괜찮다고
꽃을 보며 행복하면 되었다고…

러브레터

몇 해 전
아니, 십 년도 더 전이었지 싶다.
햇살 좋은 오후
세탁물 찾아 여고 옆을 지나고 있었다.
뭣에 끌린 듯 높은 층 교실 쪽을 보는데
네댓 명이 창문에 얼굴을 내밀고 있었다.
무심하게 내다보는 게 아니라
지나가는 행인 1인을 기다리는 눈치였다.
한 아이가 손나팔을 하고 길게 외쳤다.
"오겡끼 데쓰까~"
그래놓고 지들끼리 때그르르 웃었다.
영화 속 주인공처럼 해보고 싶었나 보다.
그래 그럴 나이지…
마음 환해져서 손 흔드니 또 한 아이가 화답한다.
"좋은 하루 되세요~"
좋은 하루고 말고!
그날 니들 꽃보다 예뻤다.
별것 아닌 것에 울고 웃는 풋풋함
그래서 더 빛나는 시절이구나 싶었다.

꽃밭

_ 조금옥

교회 왔다가 집으로 돌아가는 길에
교회 옆 작은 자투리땅에
꽃이 피어 있는 것을 보았다.
노랑 장미, 튤립, 수선화 등
여러 가지 꽃이 피어 있었다.

너무 이뻐서
가던 길을 멈추고 서서
꽃들을 구경했다.
그중에도 노랑 장미가 너무 예뻐
한참을 보고 있으니
마음이 너무 편하고 좋았다.

꽃들을 만드신 하나님 생각을 하니
하나님의 놀라운 솜씨에 절로 감탄이 나온다.
즐겁고 행복한 마음 안고
집으로 걸어갔다.

안경

출근할 때 바빠서
급하게 안경을 챙겨왔다.

사무실에 앉아
안경을 써보니
눈이 여간 불편한 게 아니다
무슨 일이지?

안경을 벗어보니
남편 안경을 가지고 왔네.

63년생 조금옥
나는 조금옥이다.

꽃

_ 채월성

벚꽃이 흐드러지게 피고 지는 요즘
화사하게 핀 것을 보며 감탄하며 찬사를 보내며
그러는 와중에 어느 날 집 앞에 작게 엎드려 있는
영산홍이 눈에 들어온다.

자기는 나도 좀 봐주세요 하며 눈짓을 했으리라
작은 꽃봉오리를 품고 있는데 하루가 다르다
성질 급한 녀석은 벌써 꽃잎을 드러내며 자랑이다.

귀엽고 예쁘게 어서 모두 활짝 피어나
저마다 노래하며 춤을 추어라.

산에 피어도 꽃. 들에 피어도 꽃, 길가에 피어도 꽃, 큰 숲에 숨
어 피어도 꽃, 화려한 정원에 피어도 꽃
우리가 모이는 이곳도 그러면 좋겠네.

세상에서 피곤해 지치고 상한 심령을 언제나 화사한 꽃처럼 맞이하고, 아무런 편견 없이 바라보고, 사회에서의 어떠한 지위나 빈부나 또한 친분 관계가 있든 없든 한결같은 화사한 꽃을 바라보는 모습으로 모든 꽃을 대하는 공동체가 되면 좋겠네.

우리 모두가 한번 되돌아보아야 하지 않겠는가

그래서 한번 발을 들여놓으면 다시는 나가지 않는 꽃들의 공동체가 되면 좋겠네.

손자 사랑

_ 채월성

누가 그런 말을 하더라
손주를 안아보기 전에는 사랑을 논하지 말라고
그렇다. 그런데 그 사랑도 변한다
재롱 떨던 손주들도 다 자라면 자기 길로 간다
그렇지만 잊지 못할 정이 있다.

어릴 적엔 저만 알고 저만 바라보기만 원했다. 생선살을 발라주면서 "맛있다. 할머니도 먹어야겠다." 하면 "안 돼. 나만 먹어야 돼" 하고, 또 내가 피곤하니 누워 쉬겠다고 하면 또 "안 돼. 일어나 나하고 놀아줘야 돼" 하면서 몹시도 힘들게 하더니 어느새 훌쩍 커서 대학생이 되었다.

"나는 이제부터 휴식이니 노터치" 라고 하면 "네 그러세요. 편히 쉬세요" 한다. 그러면 나는 장난기가 발동한다. "물 한 컵이라도 갖다 주면 배달료 만 원" 하면 "네" 하고 농담도 척 받는다.

또 야구를 볼 때 손자는 친구들과 운동장에서 직관으로, 나는 집에서 TV로 본 뒤 저녁에 만나 이야기꽃을 피운다. "○○의 홈런이 시원했잖아" 하면 "그 공이 제 근처에 떨어졌어요" 한다. 그래서

"공을 집어 오지" 했더니 "어린 친구들이 가져야지요" 한다. 현장에서 선수 응원 노래하며 함께 하지는 못해도 그래도 야구 이야기로는 언제나 흥이 나면서 통하는 사이다. 손자는 전국의 야구장을 다 가보는 것을 계획 중이란다. 꼭 그렇게 하렴. 이 할미가 응원한다. 많은 추억이 될 테니까.

사랑하는 주님
주변의 사랑하는 이들 곁을 떠나도
한결같은 모습으로 변함없이 나와 동행하시는 하나님
언제나 마음으로 또 말로 고백할 수 있는 예수님
사랑합니다.

애비야 나 사고 쳤다　　　　　_ 채월성

오늘은 사고를 쳤다.

김치 할 때 믹서를 쓰고 씻은 후에 다시 정리해 두려고 들어 올리는 순간 떨어뜨려 깨뜨렸다. 얼마나 놀라고 가슴이 두근거리는지 한참을 멍하니 서 있다가 깨진 유리를 치웠다.

"애비야 나, 사고 쳤다"

이야기하니 다치지는 않았는지 묻는다. 아니라고 답하니

"그러면 됐지요. 다시 사면 되는데 무슨 걱정을 합니까?" 한다.

순간 아들이 어른이고 나는 아이 같은 느낌이 들었다.

이 나이가 되어도 여전히 나는 미숙한 엄마라고 생각했다.

나는 언제 성숙한 엄마가 될까?

천국 갈 때까지도 계속 이런 어미로 살다 갈 것 같은 생각에 기도했다.

"하나님 나는 언제나 인간적으로 또 영적으로 어른으로 살게 될까요?"

이런 나를 그래도 사랑하신다는 주님께 무한 감사함을 느꼈다.

하나님 감사합니다.

삶의 여정 돌아보기   _ 한영수

11층 아파트
창문 열고 밖을 보니
언제 저렇게 단풍이 들었나?

나이 들어 나의 모습을 생각하니
나는 지는 단풍일까?

밝게 웃고 예쁜 옷 입고
산에 가봐야겠다.

제4장 금빛학교의 원동력, 신앙

예수님
_ 권성련

사랑은 변덕쟁이
처음 사랑
중간 사랑
끝 사랑이 다르다
연락 없는
예수님의 사랑만이 믿을 만하다.

나는 예수님이 그립다
나는 예수님을 직접 대면하여 만나고 싶다
예수님은 잘생겼을 것 같다
나는 예수님에게 안기고 싶다
예수님도 나를 안아주실 것 같다
매우 따뜻할 것 같다
기뻐 웃음이 날까
기뻐 눈물이 날까
어쨌든 사랑하는 예수

은행나무

_ 김경자

집 앞 도로 은행나무가 아주 노랗게 물들었다
너무 예뻐 나의 마음도 저절로 예뻐진다
초록에서 연한 노랑으로, 더 진한 노랑으로
징하게 예쁘다
하나님이 나를, 우리를 위해
자연까지 간섭하신다
하나님 사랑에 가슴이 찡해진다.

그 옛날 우리 엄마가
예수 믿게 된 이야기

_ 김기숙

내가 어릴 때 자라난 곳은 의성군 금성면 초전이라는 곳이다. 나는 자라면서 엄마가 예수 믿게 된 꿈같은 얘기를 자주 들었다. 엄마는 하나님이 직접 예수를 믿으라고 하셨단다.

어느 날 하얀 도복을 입은 사람이 나타나 예수를 믿으라고 하셨다. 시골에는 교회도 없기에 엄마는 예수님이 누구신지도 모르고 그래서 동네 애들한테 물으니 교회는 십 리를 걸어가면 탑리라는 곳에 있는데, 공일에 간다고 말했다. 옛날 시골에는 달력이 없는 집이 많았다. 그런데 공일날 아침에 하얀 도복을 입은 사람이 나타나셨다. 엄마는 나를 등에 업으시고 도복 입은 분을 따라갔다. 한참을 가니 개울이 나왔다. 엄마는 버선을 벗으시고 개울을 건너서 다시 버선을 신으시고 나를 업고 다시 도복 입으신 분을 따라갔다. 한참을 가더니 그분은 어느 건물 안으로 들어가셨다. 엄마도 따라 들어갔는데 그곳에 도복 입고 길을 인도하시던 분은 간 곳이 없고 그곳이 바로 탑리교회였다.

그 후로 엄마는 주일날이 되면 나를 업고 한 주도 빠지지 않고 교회를 다니셨다. 그때부터 예수를 믿고 옛날에 하던 모든 잘못된 것은 버리고 교회에서 가르쳐 준대로 따라하셨다. 그렇게 예수를 믿게 된 우리 엄마는 102살이다. 육신은 쇠잔하게 되어도 여전히 말씀과 기도, 찬양의 삶을 살고 계신다.

우리 엄마의 그 예수님이 이제는 나의 사랑임을 고백한다.
오늘까지 살아오면서 예수님이 없었으면 나의 삶은 꽝이었을 것이다. 앞으로도 더욱 사랑하는 예수님을 만나기 위해 열심히 믿음생활 잘하고 살도록 노력할 것이다. 예수님 계신 천국 가는 그날까지…
예수님 나의 예수님 주님을 사랑합니다.

나의 하나님

_ 김말련

하나님이 나를 부르셨다
불쌍하다고
사랑한다고

저 너머 언덕 향해 힘없이 걸어가던 나를 부르신 하나님
엄마의 목소리보다 더 따스한 그 부르심에
내 두 눈을 크게 뜨고 주님을 좇아갔던 나

이제 나는 그 하나님과 사랑에 빠져
너무나 기쁘고 행복하다네.

기쁨과 감사로 날마다 함께하시는 나의 하나님
감사합니다
사랑합니다
많이 많이요.

사망의 그림자

_ 김말련

보일 듯 말듯 희미하던 죽음이라는 두 글자가
어느 날부터인가 조금씩 더 크게 또렷이 내게로 다가오네.
내 육신의 구석구석을 망가뜨리며
소리 없이 나를 짓눌러오네.

세상의 모든 사람이 두려워하는 공포의 검은 그림자
어둡고 어두운 사망의 그림자
모든 생명체는 네가 무서워서 벌벌 떨겠지만
그러나 나는 네가 두렵지도, 무섭지도 않다.

하나님의 사람들은 아니란다
네가 와도 우리 하나님의 사람들에겐 영원한 생명으로
다시 태어나는 부활이 있기 때문이란다.

네가 나를 온전히 덮어 삼키는 그날
해보다 더 밝은 저 천국 내 주님 계신 곳
그토록 내가 사모하고 그리워하던 사랑하는 나의 주 예수그리스도
영광의 내 주님 그 품에 내가 안기리라
할렐루야 찬송하면서…
할렐루야

예수님

_ 김성자

내 사랑 예수님

내가 예수님의 지체 되게 하심을 감사합니다

내 맘이 외로울 때도, 내가 슬퍼할 때도

항상 함께 울어주시며

내 눈물을 기쁨으로 회복시켜 주시니

예수님 사랑합니다

오늘도 내 구원의 하나님을 찬양하며

항상 기뻐하며 쉬지 말고 기도하며

범사에 감사하는 삶 살기를 다짐합니다.

예수님

_ 김순태

예수님은 항상 우리를 사랑하신다고 하셨는데
나는 믿음이 적은가
그렇지 않을 때도 있는 것 같다.

내가 믿음이 적은가
더 많이 기도하고 말씀 믿으면 사랑을 주시겠지
예수님 사랑합니다.

하나님

_ 김정옥

우연찮게 하나님을 만나게 되어 감사합니다
몸이 심히 아프니 견디다 못해
하나님을 맞이한 저는
아무 생각 없이 두 손 높이 들고 부르짖곤 했지요
하나님 살려주세요
하나님 살려주세요
그 순간 나의 손을 잡아주신 하나님
정말 감사합니다
천국 가는 그날까지 주님 손 붙들고 나아가길 원합니다.

하나님을 만난 이후에도 종종
맘이 괴롭고 공허하니 견디다 못해
하나님께 부르짖곤 합니다
하나님 도와주세요
하나님 도와주세요
그 순간 나의 손을 잡아주시는 하나님
정말 감사합니다
천국 가는 그날까지 주님 손 꼭 붙들고 더욱 나아가길 원합니다.

믿음

_ 김창희

하나님을 아는 만큼 우리는 성장한다
하나님의 능력을 모르기 때문에
실망하고 낙심한다는 것을 종종 잊고 산다.

부활의 예수님이 우리를 사망에서 건지셨다
하나님의 능력으로 우리를 살리셨다
믿기만 하면 우리는 영화롭게 천국에서 부활한다.

이런 진리를 우리가 깨달은 이상
이 세상 어디서든 주저 말고 이 복음 전하다가
천국으로 연착륙해야 한다
한 번 더 결심해 본다.

초등학교 다니던 시절

_ 김창희

어릴 때부터 예수님 사랑만 생각하면
눈물이 나고
예수님이 너무 보고 싶었다.

학교에서 돌아와 텅 빈 집에 혼자서
하늘을 바라보면
그곳에서 예수님이 보고 계실 것 같아
텅 빈 집에 혼자 있어도 외롭지 않았다.

지금 생각하면 아마 어릴 때부터
믿음의 은혜를 주신 것 같다.

어느덧 일흔다섯의 나이가 된 나
너무도 감사하다.
이 목숨 다하는 날까지 오직
주님만 의지하며 살고 싶다.

중보기도의 힘

_ 박진현

나는 남편보다 늦게 교회에 다닌 고집 센 여자다. 어느 날 신광 교회에서 얼굴도 모르는 전도사님과 권사님이 찾아오셨다. 남편은 나오는데 아내인 내가 나오지 않아 궁금해서 왔다면서 교회에 나오라고 했다. 나는 당시 엄마와 절에 다니고 있었기 때문에 교회에 나갈 수 없다고 말씀드렸지만, 그것은 우상이니 하나님을 믿어야 한다고 나를 설득하셨다.

그러던 중 그렇게 세월이 지나 몇 년 후 점포를 얻어 철공소를 차렸는데, 재료 구입을 위해 나갔던 남편이 돌아오지 않아 걱정을 하던 터에 전화가 왔다. 황만수씨 댁이냐고, 파티마병원 응급실로 빨리 오라고… 놀라고 급한 마음에 집에 있던 돈을 챙겨 지나가는 차를 얻어 타며 병원 응급실에 가는 도중, 문득 내가 십일조 도둑이라는 생각이 머리를 스쳐갔다. 병원에 도착한 후 피투성이의 남편을 보니 문득 생명은 하나님 것이라는 생각에 원무과를 찾아가 수술해달라고 말했다. 그런데 100만 원을 먼저 내야 수술이 가능하다는데 내가 가진 돈은 90만 원뿐이었다. 다급해하고 있는 차에 연락을 받고 온 신광교회 여전도회에서 낙심하지 말라고 위로하며 10시에 모두 모여 철야중보기도를 해주신다고 하셨다. 돈이 모자라 수술을 못 하고 있을 때 언제 오셨는지 목사님이 당신이 대구신광교회 목사인데 다음날까지 드릴 테니 도와달라고 말씀해주셔서 겨우 수술을 했다. 옆에 있던 친정엄마와 남동생이 놀라워했다.

다급한 마음에 한밤중, 환자를 엄마에게 부탁하고 나는 새벽기도를 드리러 다녔다. "하나님 살려주세요. 아버지는 살아계신다고 말씀하셨는데 하나님 살려주세요. 저희 남편 살려주세요, 남편 살려주시면 이 교회 섬기며 살겠습니다." 힘들 때에는 기도하면 된다고 들었기에 나는 하나님께 간절히 기도드렸다. 그렇게 시간은 흘렀고 그렇게 힘든 고비를 여러 차례 겪다가 며칠 후 병원 수녀님의 '임종 직전'이라는 말에 목사님께 연락을 드리니 얼마 되지 않아 도착하셔서 기도해주셨다. 놀랍게도 맥박이 올라 위험한 고비를 또 넘겼다. 그렇게 한 달 엿새 만에 퇴원을 하게 되었지만, 장애 2급 판정을 받은 남편은 누구도 알아보기 힘든 사람이 되었다. 친구들도 면회 와서 힘내라는 말을 해주고 갔지만 여러모로 많이 힘들었던 시기였다.

그렇게 몇 해가 지나 우리는 영천으로 이사를 하게 되었고 영천에서 대구신광교회에 다니는 일은 쉽지 않았다. 경제적인 어려움이 컸지만 그래도 오가는 버스에서 찬송가를 부르니 마음은 떨 듯이 기뻤다. 그 이후 너무 멀어서 힘드니 교회를 옮기라는 목사님의 권유가 있었지만, 우리 교회를 떠나서는 신앙생활을 제대로 할 수 없을 것 같아 나도 모르게 "하나님 저 감사헌금으로 차비해서 신광교회 올래요." 말하고 나니 내 마음은 한없이 기쁘고 평안했다.

그 후 나의 기도로 친정어머니가 교회를 다니게 되셨지만, 얼마 지나지 않아 어머니는 2012년 6월 12일 새벽에 쓰러지셔서 2013년 12월 2일에 하나님의 부름을 받고 떠나셨다. 녹내장과 심장병 수술도 이겨내시고 사랑으로 교회생활 하셨던 우리 어머니! 마지막 그 모습은 정말 천진난만하고 아름다운 천사의 모습이었다. 그런데 마지막 입고 가시는 수의 상자 속에 들어있던 하얀 봉투 하나, 그 봉투 위에 쓰인 서툰 어머니의 글씨 "이 돈은 아무도 손대지 마라. 천국 가는 내 차비다." 믿지 않는 자식들 사이에 다툼 없게 하시려고 준비하신 감사헌금… 어머니는 교회에 장례를 부탁하여 제사를 없애므로 자녀들이 우상 앞에 절하지 않도록 처리하고 떠나셨던 것이다. 이제는 말할 수 있다. 중보기도가 얼마나 대단하고 큰 힘이 되는지 말이다.

그동안 교회와 권사님들의 참 많은 중보기도로 여기까지 살아왔음을 고백한다. 늘 교회와 권사님의 사랑을 기억하며 살고 있다. 비록 지금도 가진 것은 없지만 하나님 안에 살고 있으니 부족한 것은 없다. 하지만 내게는 아직도 남아있는 기도가 있다. 우리 형제자매가 함께 예수 믿고 살다가 함께 천국 가는 것이다.

다시 한번 중보기도를 부탁드린다. 여러분 도와주세요!

예수님

_ 염숙화

예수님은 나의 생명
나의 인생이다.
예수님을 만나서 나의 생활이 풍성해졌다.
예수님은 언제나 나와 함께 하셔서
도와주시고 인도해주시며 사랑하시고
보호해 주신다.
나의 예수님!
정말 행복합니다. 아멘

연애편지

_ 윤순화

세월이 참 빠르게 느껴집니다.

신광교회에 온 걸 너무나 감사하게 생각했어요.

처음 공권사님께 전도를 받아 지금까지 열심히 다니고 있습니다.

처음에는 혼자라 많이 위축되어 있었지만, 지금은 여러 권사님과 장집사님, 이춘화 집사님이 저를 많이 사랑해 주시고 다정하게 이끌어 주셨어요. 너무나 감사한 일이지요.

이제는 주일이면 늦잠도 안 자고 일찍 일어나 서둘러 신광교회를 가고 있어요.

목사님과 여러 권사님, 집사님들에게 감사의 말씀을 드립니다.

신광교회 교인이 된 걸 무척 자랑스럽게 생각합니다.

주님의 은혜에 감사드립니다.

모든 교인분께도 감사드립니다.

앞으로도 우리 주 예수님을 열심히 믿고 살아가겠습니다.

많이 사랑합니다.

이제 그만 쓸게요..

감사합니다.

생각의 기도

_ 육정희

때로는 생각의 기도를 하곤 한다.
내 생각 안에 존재하시는 주님은
내 생각을 항상 읽으셨다. 나보다 더

때로는 슬픔의 기도를 하곤 한다.
눈물이 앞을 가려 보이지 않을 때
실컷 울라 하신다. 그리고는 평안함을 주신다.

나에게 꼭 필요한 생각의 기도
나에게 평안이 되는 슬픔의 기도

하나님은 언제나 나를 읽고 계신다.

나의 아버지 하나님

_ 윤준자

주님

난 당신을 사랑합니다. 많이 많이 사랑합니다.

주님

난 당신이 내 곁에 안 계신다면 무거운 죄 짐에 눌려 많이많이 울었을 겁니다. 의지하고 부르짖을 데가 없어 숨 막혀 죽었을 겁니다.

주님

당신이 나와 함께하시기에 이젠 숨을 쉽니다. 움직여 일합니다. 인내합니다. 당신의 이름을 불러봅니다. 나의 아버지라고…

주님, 주홍 같은 내 죄 때문에 채찍에 맞으신 아버지
먹보다도 더 검은 내 죄 때문에 그 부끄러운 십자가 지신 아버지의 회복과 치유, 새 생명 주심에 감사합니다.

주님

난 이제 아버지께 딱 붙어있는 가지가 되어 적은 열매라도 일구어가겠습니다. 세상의 부귀영화 다 준다 해도 주님과 바꾸지 않겠습니다. 다짐하면서 영원무궁한 생명 주심에 감사를 드립니다.

기도

_ 이송자

하나님!
정말 웃기죠?
힘들고 어려운 시험 당하고 있는 이에게
주님께 기도드리고
주님께 다 맡겨 드려 봐요
수없이 위로하며 또 쉽게 말해 주고 있지요.

정작
내게 시험이 오면
하나님 저에게 왜 이러시나요?
하나님 너무 하시지 않으세요?
하나님께 도전하며 따지고 있는
나의 한심스러운 모습을 봅니다.

응답하지 않으신 기도까지
감사하는 믿음 주소서
내가 알지 못하고 경험하지 못한
크고 비밀한 일을 이루어 주실 때
부끄럽지 않게 말입니다.

기막힌 하나님의 공평

_ 이송자

약속의 땅 가나안을 향해 출발하기 전
하나님은
모라리 자손에게
수레 2대 소 4마리
게르손 자손에게
수레 4대 소 8마리
고핫 자손에겐
그 무엇도 허락지 않으셨다.
그러나
하나님은 진실로 공평하셨다.
그들의 형편에 따라
지극히 공평하고 지극히 적절한 분배였다.
오늘
나에게 허락하신 이 모든 것
또한
하나님께서 극히 공평하게 허락하셨을 게다.
늘 감사하며
항상 기뻐하며
넉넉히 나누며 살아야겠다.

앗! 또 실수했어요

_ 이송자

주님!
잘못했습니다
기도하면 다 이루어 주시는
확실한 방법이 있음에도
세상 바라보고 따르다
내 생각, 내 판단대로
일을 저질러버렸네요
그래서 실수했어요.

주님!
다시 간구드립니다
나를 용서해 주세요
내 삶 속에 닥쳐오는
힘든 일 고통스러운 일들
다 주님께 맡겨드리고
이젠
신실한 기도와 간절한 간구로
주님께서 행하심을
기대하며 기다리며
감사하겠어요
기뻐하겠어요
기도하겠어요.

목사님 손

_ 이연자

오늘은 인내반 소풍 가는 날입니다.

그런데 어제부터 머리가 아팠습니다.

새벽에 목사님 설교를 듣고 마음에 감동을 받았습니다.

목사님 손 한 번만 내 머리에 얹으면 나을 것 같았습니다.

조심스럽게 목사님 곁에 가서

"목사님 저 머리가 아파요.

목사님 손만 대주시면 나을 것 같아"" 하면서 기도를 받았습니다.

기도를 받고 나니 머리 통증이 깨끗이 사라졌습니다.

목사님 손은 예수님 손 같습니다.

따뜻하고 포근했습니다.

비

_ 이연자

비가 정말 귀하다
온 나라가 산불로 인하여
삶의 터전을 잃고
생명을 잃고…

우리는 금빛학교에서 합심하여 하나님께 비를 내려달라고 했다
금빛학교를 마치고 교회 문을 나서는 순간
굵은 빗방울이 떨어져 정말 반가웠다.

나의 생명이신 주님

_ 이영자

아무리 생각해도 주님께서 나를 사랑하신다는 것을 느낀다

두 번 세 번 아니 몇 번을 살리시는 주님

말할 수 없는 고통 속에서도 주께서 함께하신다

날마다 도우시는 주님 감사합니다.

고백
_ 이종말

그때는
헛된 꿈
헛된 즐거움 쫓으며
희망 없이 살았었지.

그러나
지금은
나를 지으시고
나를 사랑하시며
나를 구원하신
주님의 인도하심 따라
주님 손 잡고
감사의 길 기쁨의 길
복된 길을 걷고 있다.

이후엔
하나님 예비하신
영원한 나의 처소에서
사랑하는 주님과 기뻐하며 살아가리!

예수님은 바보

_ 이주옥

예수님은 바보
하늘나라 훌훌 떠나
이 지옥 같은 세상으로 내려오셨네.
이득은커녕 셈도 못하신 바보

예수님은 바보
우리가 얼마나 얌체들인 줄도 모르고
오리를 가자 하면 십리까지 가주라 하고
속옷을 달라 하면 겉옷까지 주라 하셨지
얼마나 아플 줄도 모르고
우리 살린다고 십자가에 못 박혀 죽으셨네.
이득은커녕 셈도 못하신 바보

예수님은 바보
살려주서 감사하다고 펑펑 울다가도 하루 열흘 딴청 피우고, 앞으
로는 열심히 성경 보고 기도하겠다는 내 텅 빈 기도에 속고 또 속고
그러면서도 언제나 나를 반가워하시네.
이득은커녕 셈도 못하시는
예수님은 완전 바보

예수님

_ 임정태

예수님 내 주여
내 중심에 오서서 몸과 마음을 깨끗하게 하소서
사랑은 온유하고 사랑은 오래참고 감싸주며
사랑은 모든 것 덮어주니

산골의 백합화 성도들이여
저 하늘나라를 바라보아라
영광의 광채 속에 열두 진주 문이
우리를 위하여 예비되었도다.

세상아 잘 있거라. 나는 가노라
꿈결 같은 이 세상, 인간의 사는 길이 험할지라도
하룻밤 가듯이 잠깐이란다
영원무궁한 평화의 나라가 우리의 본향이란다
영원무궁한 평화의 나라가 우리의 본향이란다.

예수님에 대하여

_ 임홍란

예수님은 우리가 보지도 못했지만
우리를 지키기 위하여
모든 죄를 용서하여 주기 위하여
모든 고통을 혼자 고통을 받으시고 우리를 살리셨다.

이 세상 어디에도 있을 수가 없는데
예수님 정말 감사해요
지금도 우리를 지키시고 끝없이 사랑해 주시니 감사합니다
영원토록 감사해요.

예수님은 모든 이를 사랑하신다 _ 장광익

예수님은 모든 이를 사랑하신다
예수님은 우리 죄를 용서해 주신다.

나도 주위 사람들을 사랑하고 싶다
그런데 아주 미운 사람이 있다
그러면 나는 어떻게 해야 하나?

주님 길을 가르쳐 주세요
주님 예수님처럼 나도 미운 사람을 사랑하게 해 주세요.

기도

_ 장화순

하나님 아버지 저는 죄인입니다
그러나 회개하므로 용서받고
주님의 보혈로 죄 씻음 받았으니
이제는 항상 깨어 있어
악한 영을 대적하고 이기는 자의 상을 받는
존귀한 자로 살게 하여 주시옵소서.

저는 하나님께로부터 난 자임을 믿사오니
이제부터는 순종은 속히 하고
죄에는 미련하게 살겠습니다
저의 생각과 행동을 인도하여
세상을 넉넉히 이기는 믿음을 주시옵소서.

아버지 하나님
주님 다시 오실 날이 가까워 오는 데도
절제하지 못하고
생활의 염려를 놓지 못하며
세상 즐거움에 빠져
성령님을 근심하게 하였습니다
긍휼히 여겨주시고 용서하여 주소서.
아멘

행복의 항아리   _ 장화순

행복도 특별한 것 아니다.
좋아하는 이웃과 웃고 지내는 것이
행복이다.

이제 예수님을 힘입어
이웃 향한
행복의 항아리를 준비하자.
사랑도
희망도
행운도
축복도
기쁨도
웃음도
가득 담아보자.

이제 어떤 이웃을 만나
이 행복을 전할까?

사랑의 예수님
_ 조금옥

사랑하면 예수님이 생각난다.
예수님이 나를
사랑한 것처럼
나도 예수님 사랑
전하며 살고 싶다.

예수님을 생각하면
너무 감사하다.
보잘 것 없는 나를 구원하신
예수님의 사랑에
참 감사가 나온다.

예수님을 생각하면
내 마음이
평안해진다.

기도

_ 조부등

기도는 주님 앞에 낮은 포복
하나님 앞에 가장 낮게 엎드러라.

기도는 모든 욕심을 꺼뜨리는 소방서
기도가 없으면 마음이 무거워져
기도가 있을 때 성령으로 충만하다.

기도는 내 영혼의 호흡이며
하나님과의 친밀하고 거룩한 대화
하나님 앞에 낙타 무릎을 꿇는 것
그것이 기도이다.

기도가 없는 곳에 사람만이 일하고
기도가 있는 곳엔 하나님이 일하신다네.

내 기도하는 시간
그때가 가장 복되고 행복하여라.

하나님만 바라보며 갑니다   _ 조숙자

나 조 집사는 성서 살다가 우연히 아는 사람 만나
신광교회에 오게 되었습니다.
그러나 성서에서 신광교회는 너무 멀어 오가기가 힘들었습니다.
그래서 신광교회 옆으로 이사를 했습니다.
류관선 목사님께 세례를 받았습니다.

그러나 하나님 믿고 산다는 것이,
나 혼자 하나님 생각하면서 살기가
너무나 힘들었습니다.
아는 사람도 없어서 너무나 힘들었습니다.

그러던 중 구역장 김성자 권사님을 만났습니다.
신앙생활의 길잡이가 되어 주셨습니다.
그 이후로 교회에 잘 다녔습니다.
하나님 떠나지 않고 예수님 잘 믿게 해준 권사님 감사합니다.

나 조 집사는 오로지 죽는 그날까지
하나님 바라보면서, 예수님의 십자가 사랑 생각하면서
열심히 살겠습니다.
열심히 살겠습니다.

편집후기

3년 동안의 제1기 금빛학교 전 과정을 끝내는 마당에 그간의 발자취를 돌아보며, 서투르나마 글들을 모아보았습니다. 평소에 글을 자주 쓰지 않았던 터라 '나는 못 써' 하면서도 몇 줄씩 써서 남겨둔 재료에, 세상에서는 맛보지 못할 사랑과 은혜로 양념을 하고 감사한 마음으로 끓였습니다.

몇 차례 글짓기 수업을 듣기는 했지만 여전히 어려운 시대를 살아온 투박한 노인들의 글들일 뿐입니다. 있는 그대로의 진솔한 마음이 읽는 이에게 맛있게 전달되기를 바랍니다.

그간 말씀으로 은혜의 시간을 갖게 하신 전광민 위임목사님과 문집이 나오기까지 글짓기 지도와 책 발간을 위해 자문해주신 강병구 목사님, 문집 발간의 의지를 가지고 글을 쓰도록 격려하시며 편집까지 신경써 주신 김장억 장로님, 그리고 우리가 쓴 글들을 밤새워가며 다듬고 고쳐서 맵시 나게 작업해주신 이주옥 권사님을 비롯하여 협조해주신 선생님들께 감사의 인사를 드립니다.

처음으로 발간되는 이 문집이 계속 이어져 대구신광교회 금빛학교의 큰 역사로 자리매김하기를 기대하며 글을 쓰시느라 애쓰신 모든 동료 학생 여러분께도 감사를 드립니다.

2025년 5월

편집위원장 전건우 은퇴안수집사